**OFFICIALLY
DISCARDED**

ESTRELLA DE LA CALLE SEXTA

colección andanzas

LUIS HUMBERTO CROSTHWAITE
ESTRELLA DE LA CALLE SEXTA

1.ª edición: agosto de 2000

Diseño de la colección: Guillemot-Navares
Reservados todos los derechos de esta edición para
© Tusquets Editores México, S.A. de C.V.
Edgar Allan Poe 91, 11560, Polanco, México, D.F.
Tel. 52 81 50 40 Fax 52 81 55 92
Fotocomposición: Quinta del Agua Ediciones, S.A. de C.V.
Aniceto Ortega 822, 03100, Del Valle, México, D.F.
Tel. 55 75 5846
Impresión: Grupo Sánchez Impresores
Av. de los Valles 12, 54740, Cuautitlán Izcalli, Estado de México
ISBN: 970-699-001-1
Impreso en México/Printed in Mexico

Índice

A Tere Vicencio,
que todavía cree que puedo hacer estas cosas

Sabaditos en la noche

Hey, hey, aquí nomás mirando pasar a las beibis. Todos los sábados me encuentras sentadito en esta esquina, tripeando, agarrando mi cura. ¿Ya viste aquella morra? Por eso estoy aquí, mirando mirando. Qué quieres que haga. Toda la semana en el trabajo, aguantando al pinche gringo, its tu mach. Éste es mi único desahogo. Para qué quiero otra cosa. Tuve muchas ondas en mi vida, tuve mi esposa, tuve mi hija, tuve mi casonona y mi carrotote. Eso ya pasó, carnal, ya es pretérito. Cómo te diré. No sé si me explico: yo no soy como cualquier imbécil que se la pasa guachando a las beibis, nel, soy un imbécil especial, al tiro. ¿Me entiendes? Ya recorrí el mundo, ya nadie me cuenta lo que es bueno y lo que es malo. Yo escogí los caminos y escogí también que mis sábados pasen en esta esquina.

Cuando me canso, entro a un bar, me echo unas cervezas y ya estuvo, laik brand niu. De vez en cuando pasa una beibi que le gusta que yo la esté mirando, una de ésas que aguanta que le diga cosas locas y después no se enoja. Las detecto como florecitas campiranas y voy tras ellas para arrancarlas del suelo y oler sus raíces.

Primero camino de lejos, así, tanteando tanteando, le doy muchísimas oportunidades de que me vea, de que me barra con la mirada, saque sus conclusiones y se decida. En sus ojitos se nota la conclusión. Ahí voy acercándome, despacio, casi la toco con el brazo cuando le digo «Guasumara, beibi, du yu fil laik ay du?» La morra responde «Yo no te conozco, sácate, viejo cochino». «Uyuyuy», le digo, «se me hace que me confundí», y como que me voy, ¿ves?, meto las manos en los bolsillos y de reversa. La beibi puede ser muy orgullosa y de regreso me voy hasta mi esquina, ni modo, buenas noches; pero muchas alcanzan a decirme «Ya me acordé de ti, ¿no eres el tío del Creizi?»

–Órale, pensé que no te ibas acordar, mija.

–Simón, ya sé. ¿Qué andas haciendo por aquí?

–Tripiando tripiando. ¿Y tú?

–Estoy esperando a una prima, la Priscila.

–Órale, simón. Creo que la vi por allá, no sabía que la buscabas, si no le hubiera dicho que aquí mero.

–¿Por dónde la viste?

–Si quieres te digo dónde.

–Sobres.

Y le caminamos para allá, para acá, para acuyá, entramos a un barecito oscuro en la Calle Cuarta, nos echamos un pisto, dos pistos. Ella empieza con una cocacola, tarde o temprano le sigue con una cuba y al final ya estamos tequileando. La mentada prima ni sus luces y la verdad es que yo creo que no tiene ninguna prima Priscila. Yo tampoco tengo sobrinos así que es un buen contrato éste que firmamos: el uno para el otro, meid for ich óder, ¿no crees?

Ya entrada la noche nos vamos a un hoteluco, ¿qué otra cosa puede hacer un par de mentirosos? Cotorreamos sobre cualquier tema. Yo los manejo todos: política, deportes, la canción de moda, lo que sea. Hasta que ella pregunta «¿Cómo le haces pa saber tanto?» y le digo «Pos leyendo, mija». Y las morras alucinan con ese rollo. Como no conocen a raza que lea mucho, pues suponen que soy muy brillante, geniecillo; como si leer te hiciera inteligente, juar juar, de yoks on dem. Está bien, porque con ese cuento las llevo al hoteluco y en su alucine ellas se imaginan casadas con un genio y con muchos hijos que nacen hablando un montonal de idiomas. Y en ese mismo alucine, carnal, le siguen en mis brazos hasta el amanecer. Después, cuando llega la cruda de la mañana, nos ponemos la ropa, nos damos un besito y jamás de los jamases nos volvemos a ver.

2

Hoy está haciendo calor, a veces hace frío o a veces llueve. Cuando llueve es una buena chinga estar aquí sentado en mi esquina, me mojo todito. Allí estoy, empapándome, singuin in da pinche rein, y la raza de los bares a mi alrededor, los cantineros y los meseros, me dicen «gringo loco» y se ríen, me cae que se ríen como si fuera muy chistoso. Yo no les digo nada porque ya los conozco: Beto, Raúl, Pastor, Rudy y Laurita la delgadita. Para comenzar ellos saben que yo no soy gringo, no como ellos me dicen, ¿ves? El gringo es otro rollo, se cree dueño del mundo; yo no, yo nomás tengo esta esquina, este pedazo de banqueta que es mi universo.

Mi patrón, ese güey sí es gringo, para que veas, a pein in da faquin as. Yo soy otra onda. Claro que no soy de por aquí, cómo explicarlo, sí soy gringo y no soy gringo, ¿me entiendes? Hay más unión entre esta raza, entre los meseros y yo, que con toda la bola de gringos-güeros-atole-en-las-venas. Éste es mi paraíso. El pasado agrio lo dejo allá en el norte, del otro lado de la frontera, como se dice.

Todo se queda en los Unáired, el patrón y toda su gente, y yo aquí le sigo, con mi esquina, semana tras semana.

Laurita la delgadita no se ríe ni se burla de mí, tengo que aclararlo. Me refería a los batos; Laurita la delgadita no. Ella es una morra que no-tiene-mucho-que-decir, no se mete con nadie. Cuando decido entrar al bar me gusta que ella sirva las copas y como ya sé cuáles son sus mesas, pos por allí me siento y ella siempre está sonriente y yo nunca le he tirado la onda, de veras, no le he dicho cosas locas como a las otras beibis. La verdad es que Laurita la delgadita se lo merecería, para qué negarlo, con mucho gusto, casi como un deber, le mordería los huesitos y le chuparía el tuétano toda la noche. Pero no sé. La veo y no sé.

Por eso a veces decido no mirarla. Me sirve el tarro de cerveza y bajo la mirada. Así. ¡No se rían, pendejos! Bajo la mirada porque a veces su sonrisa me deslumbra como el sol o me entristece como un eclipse…

¿Crees que te estoy cuenteando? Asómate a mis ojos, aguántame la mirada, ¿ves?, me quito los lentes oscuros, ¿ves? Soy duro como este piso, soy un tipo duro que se ablanda de vez en cuando con la sonrisa de Laurita que es suave y brillosa como el cofre de un carro recién pintado.

3

He ganado muchos amigos, sentado por aquí. Batos desconocidos a veces llegan y se sientan conmigo. Como tú, como muchos otros que tienen ganas de platicar, se sientan calladitos y yo finjo que no los veo, como si mi esquina fuera esquina de todomundo y cualquiera se pudiera sentar aquí, democráticamente, sin importarme.

Los dos sentados, mirando a las beibis. El bato tarde o temprano me habla, me invita un cigarro, me dice que guache las piernas de aquella morra de minifalda. Yo sonrío, sin mirarlo, no quiero darle mucha confianza, no conviene si lo acabas de conocer. Mejor, si tiene algo que decirme que lo diga ya, que no se ande con rodeos, y nomás que no me salga con ondas extraterrestres, que no me lance rollos alienígenas porque no sé cómo voy a responder. Lo que pido es respeto. Por eso me dice lo de las piernas con minifalda, creo, para dejar el asunto aclarado. Bueno, pues resulta que anda buscando a una morra. Simón simón, ese bato anda buscando a su beibi, su arroz con leche y canelita en polvo que se le perdió hace tres meses.

—¿Desde cuándo? —le pregunto.

—Desde hace tres meses.

—Uy, compa, si se largó hace tanto tiempo no es que ande perdida, es que ya no quiere contigo. Ella es un adiós de esos que se dan en el aeropuerto cuando el vuelo no es redondo.

El bato se queda callado, pensativo. No dice más. Así que tengo que voltear a verlo, echarle una ojeada por encima de mis lentes oscuros porque me imagino lo que viene. Ahí está su cara triste montada en su cabezota. El pendejo está a punto de llorar, te lo juro, le tiemblan los cachetes y tiene la boca arqueada como si estuviera a punto de caérsele al piso. Eso sí que sería extraordinariamente mala onda, un bato llorando por una morra, y luego en mi esquina y delante de todomundo como si yo fuera el que lo hace llorar y no su beibi ausente.

—Espera espera —le digo—, no me digas que vas a chillar porque eso sería extraordinariamente mala onda, no se hace en público, compa, aliviánese o márchese que en esta esquina sólo hay lugar para un corazón flagelado.

Lo bueno es que se aliviana. Yo ya estaba pensando en recurrir a la fuerza. La verdad que no estaría bien golpear a un hombre que está llorando, eso está en el mismo nivel que golpear a un pinche cuatrojos; pero también la paciencia se colma y derrama sus aguas salvajes. El bato deja de amenazarme con su alma herida y yo alcanzo a decirle «Está bien pues, ahora lárgate mucho» y el bato se larga mucho no sin antes decirme «gracias». Un pobre «gracias» que de nada me sirve esa noche ni la noche siguiente, un «gracias» para tirar a la basura y olvidarse de él.

4

Te voy a decir cómo es esta calle, cómo es mi esquina, cómo es la raza que pasa por aquí en las noches. Sí sí, se trata de mi interpretación personal, ya sé que tú también puedes verla. Ya sé, ya sé, no me interrumpas: la calle es una línea recta, sucia, rodeada de cantinas, farmacias, hoteles, congales, restaurantes y muchísimos lugares que venden artesanías. No tiene una iglesia o una cruz roja que la redima y la salve del infierno cuando se muera.

Mi esquina está en la Calle Sexta, no es distinta a otras esquinas en la Calle Quinta o en la Tercera, la diferencia recae en que yo estoy sentado aquí todos los sábados mirando a las beibis. La raza es la misma: la mayoría son gringos gritones, morros que llegan en montón, que se meten a un bar o a un cabaret y que salen emborrachecidos y más estúpidos que cuando entraron.

Las morras gringas me ignoran como princesitas, ya ni me acerco porque no tiene caso. Así les hables en inglés o en chino se hacen las desentendidas. Guasumara, beibi, y pasan a mi lado con gran indiferencia, sus ojos ni siquiera ya sabes, ya sabes.

Al principio les hice la lucha, por qué no. Lanzaba mi mejor verbo, cantaleaba una melodía cursilona de los Beatles, les bailaba como da biguest ful on da jil, les contaba un chistecito, les preguntaba «¿Javen ay sin yu bifor?» Todo el chou y nada. Como si yo fuera el hombre invisible y se me hubieran olvidado las vendas en mi casa, ¿me entiendes? Nogüer man. Colorín colorado. Así que mejor me dedico a las mexicanitas que son más corazón, menudo, chuleta y, sobre todo, teik not, mi extraordinaria y mortal debilidad en el universo. Hasta un NO gordote y relleno de mostaza les aguantaría a esas morras, favor que me hacen al fin y al cabo por estar aquí adornando el mundo con su presencia, como si fueran foquitos de navidad en el árbol de mi vida.

Otra raza que hay por aquí son los polis. A esos ya los conozco de nombre y a veces tengo problemas con ellos. Ni modo: no soy monedita de oro para caerle bien a todos.

«Cuidadito, no se vaya a portar mal esta noche», me dicen con la burla en el rostro.

«Buenas noches, oficial Mendoza, oficial Castillo», les respondo, «cómo creen, ni un 10-38 ni un 10-39 habrá en esta noche linda y plagada de estrellas.»

Ellos navegan en sus patrullas toda la noche y parece que enderezan la espalda cuando pasa frente a ellos una beibi hermosa. Al rato ya los descubres agachados y arrastrando los puños en el suelo como son por naturaleza.

5

Es el mejor lugar para estar solo porque nunca lo estás. Si tienes ganas de pensar, aquí no puedes. Si te invaden los recuerdos, aquí les pones un alto. «¿Yu guan a taxi?» Miras a la gente, sus rostros felices, bravos, furiosos, toda la noche, uno tras otro, los ojos redondos y rasgados, las cabezas rapadas, los cabellos lacios, chinos, ondulados, rubios, oscuros, verdes y azules, la piel morena, blanca, negra, los ceños fruncidos, las carcajadas sonoras, los cuerpos flexibles, las sillas de ruedas, pásenle, pásenle, aquí hay paso para los encantadores y los enfadosos, para los saludables y los moribundos, «taxi taxi», sexo en los carros, en la gente y en los basureros, cualquier mirada es sensual, cualquier par de labios, de piernas, de axilas, los olores dulces, perfumados, sudorosos y podridos de las alcantarillas, litros, hectolitros de cerveza, megagalones de licor, costales de droga y dólares, billetes verdes moviéndose entre dedos, deslizándose entre piernas, atrapados en pantaletas y calzoncillos y música, tecno, rap, disco, salsa, rock, norteñas, un paso es una melodía distinta, el catálogo completo, cielo e infierno, la bondad, el carisma, el odio, la venganza, todo está en venta, alimentos, tragos, cuerpos, objetos hechos a mano, objetos importados de tierras lejanas, «taxi taxi», ¿te gustan los hombres?, ¿te gustan las mujeres?, ¿te gustan los hombres y las mujeres?, aquí te pierdes o te salvas, aquí descubres tu verdadero yo, el último grito de la moda.

—Ser, ¿yu guana taxi?

A veces platico con el Beto. En esas noches que Laurita la delgadita anda de mal humor y yo parezco un par de zapatos viejos y estorbosos, me acerco a la barra y dejo que el Beto me cuente las penas de su vida.

–¿Que no es al revés? –le pregunto–, ¿a poco no llegan los batos y confiesan sus broncas a los bartenders, y éstos siempre aconsejan buenos rollos como si fueran su mejor compita por sécula seculórum?

–No seas bruto, es puro cuento.

–Yo suponía que era un requisito.

–¿Requisito?

–Para conseguir trabajo de barténder.

–No no, ni los cantineros ni los peluqueros ni los sacerdotes son así.

La realidad es que el Beto debe entenderlo bien porque él ha intentado un poco de todo eso. Está igual que yo, con los años encima y sin un futuro con el que se pueda contar para lo más mínimo. La diferencia es que yo brindo con una cerveza en la mano por todas las malas ondas del pasado, me río de ellas, las reto, les escupo a la cara, las estrujo y a veces, en los mejores momentos, las echo de mi vida por ser recuerdos malagradecidos. El Beto, pobre Beto, carga sus penas como si fueran una gran cruz de madera, clavos oxidados traspasando las palmas de sus manos, sangre chorreándole por la camisa y el pantalón, ensuciando el piso del bar.

–Aliviánese mi Beto, tómese un tequilita, its an mi.

–No no, trabajando no se puede.

En cuanto se aleja el Ciruelo, no se echa un tequilita sino media botella de un trago. Órale, así se hace, como en película de Jorge Negrete, aaaaaajajay, muy bien.

Lo digo desde ahorita para que sea claro como el anís del chango: no lo he visto derramar una sola lágrima. Sus ojos brillan de vez en cuando pero es igual que conmigo, el brillo de la puritita nostalgia: esa certeza pinche de que los ausentes ya no volverán.

¿Cuánto he leído? Uy, te puedo dar listas y listas, beibi, te puedo contar grandes aventuras que sólo han pasado dentro de un libro. Pero no te voy a decir ni un solo título, eh. Tampoco te recitaré un poema aunque las estrofas me bailen en la cabeza.

Trato de olvidar la poesía, ¿ves? Los cabrones versos no se alejan, se aferran, son mi condena. Juré que nunca iba a leer otra página, por Dios, dije, por el Diablo, dije, no voy a tocar un libro, voy a olvidar mis lecturas. Esas palabras se borrarán de mi memoria como si jamás hubieran pasado delante de mis ojos.

Ese fue mi juramento estúpido y mi condena fue haberlo intentado. La poesía no se va, beibi, es un tatuaje en el cerebro. Cada verso gira en tu cabeza para siempre y cuando te mueres supongo que es lo último que escuchas: la poesía imborrable, crónica, mortal, incurable.

Cien dólares en la bolsa. Mucho o poco, depende de lo que quieras hacer. Puedo encaminarme dos cuadras y ver a los niños vascos, aventando su pelotita contra la pared, o puedo sentarme por ahí mismo y mirar las carreras de caballos o el box en la televisión. Así le puedes decir gudbay a tu dinero en un par de horas y ya que no tienes monedas no sirves para nada en esta calle vividora, nadie te fía, ni siquiera el Beto que es compa.

A veces entro a La Estrella para bailar con las doñas una cumbia calientita que despierte las piernas.

El baile es un ritual sagrado para ellas, algo así como rendir juramento o declarar un testimonio ante la corte, como promulgar derechos o recibir el sacramento, como si ellas estuvieran en misa y la oración fuera la cumbia sabrosona, amén. Son unas auténticas profesionales que no sonríen cuando bailan. Se sumergen en la danza y uno hace lo mejor para seguirles el paso, uno-dos, uno-dos, nunca resulta, dis bato eint meid for dat chit, las ando pisando y ellas me dicen «Don guorri, mijo, its part of da yob». Siempre lo mismo, ya bien ensayado. Luego le pregunto a Margarita la doñita, enmedio de una cumbia, uno-dos, uno-dos:

–¿Ve aquella señora?, ¿la mira allá en el fondo?

–¿Qué tiene, mijo?

–Se parece a mi mamá, que en paz descanse.

–Ya me lo dijiste, mijo, ¿no te acuerdas? la semana pasada.

–¿Cómo se llama?

–Ya te dije, no lo vuelvo a repetir.

Su nombre es Azucena: cara redondita, arrugas onduladas, labios iguales que mi mamá. Yo creo que muchos batos le han dicho que se parece a sus mamás porque cuando me acerco, mis palabras se esfuman entre la música y el humo de los cigarros, no significan nada para ella; las guarda en su monedero y se acabó. «A bailar, ¿sí o no?»

Ella no es de las que platica, quizá la única diferencia con la auténtica móder que escurría sonidos por todo el cuerpo. «No búlchit, yas dans», me dice, aunque le insista que me hable en español. Tal vez Azucena es como la madre de todos los que entran a este congal.

–Estás loco, güerito –me dice Margarita la doñita, bailando, uno-dos, uno-dos.

Tal vez Azucena es la madre de todos los batos que vienen a bailar y de los pinches policías y de los gringos que se emborrachan en esta calle. Tal vez ella lo entiende muy bien; por eso no contesta cuando le digo esas cosas, y baila las cumbias como si no hubiera otra cosa en el mundo.

—¿No será una buena explicación para su apatía?

—¿Para su qué?

Puros inventos míos. Lo más seguro es que guarda su silencio porque nada le importa en el mundo, incluyendo mi vida y mis estúpidas palabras.

9

Oye, Laurita, ¿me dejas hacerte una pregunta? Una pregunta inofensiva, íntima, una pregunta que si no quieres responder no hay bronca, una pregunta sin conflicto ni compromiso, que no te obligue a contestarme con una frase célebre como «¿Acaso estoy en un lecho de rosas?», o te haga cambiar tu concepción del mundo, de la vida, de este viejo borracho o de lo que quieras; una pregunta sin mayores intenciones que una respuesta llana que dé pie al rollo que estoy a punto de soltar. ¿Me dejas hacerte una pregunta?

Ándale, Laurita, una pregunta antes de que te vayas a rondar las otras mesas o de que el Ciruelo te diga que no pierdas tiempo cotorreando con los clientes. Más vale que se calme ese bato, que no te eche esas miradas de patrón de la Gestapo que al cliente lo que el cliente pida y a Dios lo que es de Dios. Ándale, Laurita dientona, sonrisita minifaldera, ándale, ¿qué te cuesta responderle a este viejo su pregunta que no es de malas palabras sino muy sincera y proveniente del alma?

Mi corazón no se lo enseño, Laurita, me cae que no se lo he enseñado a nadie desde mi otra vida. ¿Ya te dije que tuve otra vida, que morí, que volví a nacer como en una faquin reencarnación? ¿Ya te dije que yo era mejor en otro tiempo?

Ah caray, me traicionan las cervezas: ya estoy diciendo pendejadas.

Bueno, la verdad es que en la historia del ser humano hay delantes y patrases, y si pudiera hacerte un dibujo pensarías que es una carretera, simón, pensarías que es un mapa porque eso es la vida, rectas, curvas, vados, puentes, accidentes... Mira esta raya: el punto de origen es cuando naces, luego le sigues le sigues y pasa tu infancia y adolescencia y por allí el camino empieza a convertirse en dos. En esa época tomas decisiones elementales que bien podrían cambiar el rumbo de la carretera.

Guacha: yo estaba enamoradillo de una pecosa con trenzas, yo tenía veinte años y ella tenía dieciocho y nos dábamos besitos en las calles oscuras a escondidas de su papá. Yo me quería casar, Laurita, me quería casar porque en esa época el amor era para mí un besito en la calle; ella no estaba segura, ella pensaba como si ya fuera grande y me hablaba de terminar la escuela, ir a la universidad, ser doctora o ingeniero o ya no me acuerdo qué. En fin, le puse un ultimátum, así: o te casas conmigo o me voy a la chingada en busca de otras pecosas y trenzudas. Tengo bien grabado su rostro lleno de espinillas, Laurita. Nunca he visto tantas lágrimas en una sola cara, lloró como si fuera el gran diluvio, me cae. La condenada chamaca chillaba y chillaba como si le hubiera roto el pie derecho o le hubiera dado un golpe en el cachete izquierdo, me cae. Lloró tanto que empezó a dolerme. Sí sí, aunque no me lo creas, el llanto de otra gente puede dolerte en ciertas regiones del cuerpo. Empezó a dolerme por aquí, mira, donde me habían hecho un tatuaje con su nombre. Este pinche tatuaje no se quita ni con Ajax, me cae. La abracé y le pedí perdón y disculpas y le conté chistes y le inventé historias. Hasta le improvisé un poema, Laurita, el primer poema que yo inventaba y que hablaba de sus ojos cafés y de sus manitas finas con el anillo que le regalé. Y a que no sabes qué: dejó de llorar, la condenada. De pronto dejó de llorar y me dijo, más o menos «Qué gacho eres, yo pensé que me querías y resulta que no me quieres».

Tuve que explicarle, utilizando los mejores argumentos veintiañeros, que me había equivocado, que así pasa a veces, que uno comete errores, que no debía tomármelo a mal...

La pecosa se hizo de piedra y me mandó a volar con la dignidad de una aristócrata solterona.

Yo me encabroné tanto con ella que casi tumbo la puerta de su casa con los gritos que le echaba desde fuera. Después de un rato, su papá salió y con mucha cortesía y elegancia me dio una sarta de patadas en el culo, o sea en mi orgullo, que era lo mismo, y escapé aullando como un perro que arrastra consigo el corazón averiado.

34

Sufrí, sufrí, sufrí, sufrí, sufrí, sufrí, sufrí, sufrí, sufrí que no te imaginas.

Ni se me ocurría que cuando ella eligió no casarse, la carretera comenzaba a girar hacia otro rumbo, y lo que sucedió después, bueno y malo, hasta este lugar, hasta esta cantina, hasta esta mesa, hasta el Ciruelo mirándonos así, se debe, en parte, a la pecosa orgullosa y pinche que no se quiso casar conmigo cuando yo tenía veinte años.

Por eso mismo necesito que me respondas una pregunta. Una sola pregunta inofensiva, íntima, sin compromiso, que bien pudieras contestar o no. Una sola pregunta, Laurita. Pon atención:

¿Tienes papá?

Claro que ésa es la pregunta. No te rías. Es muy importante para mí. No es algo que se me acaba de ocurrir; bueno, sí se me acaba de ocurrir pero tiene un sentido específico. No te burles, Laurita, que es tan serio como las noticias del hambre y la guerra en el mundo, así que no te rías y que el Ciruelo se calme; si no, me levanto y ya verás cómo se pone el asunto. Está bien, está bien, me calmo para decirte lo siguiente:

Soy papá de nadie; fui papá de alguien, pero ya no.

Se me acabó la paternidad justo en este punto de la carretera, mira, aquí donde la curva se vuelve muy pronunciada, donde es peligroso, donde uno debe bajar la velocidad porque si no... A partir de ese instante el camino volvió a cambiar, dio una vuelta en u, se degradó, se acabó el asfalto, se volvió terracería...

Así fue cómo volví a nacer.

Ya estoy diciendo pendejadas, ¿verdad? Lo sé, lo sé. ¿Cuántas cervezas llevo? ¿Cuántas? Chale. Por aquí traigo un billete. ¿Qué te estaba diciendo? Ju quers. Ya vete, Laurita, no vale la pena golpear al Ciruelo.

Mejor termino esta cerveza y me voy.

Margarita la doñita me dice «Bésame aquí» y le doy un beso justo donde me indica con el dedo. «Ahora bésame acá» y, como niño obediente, le entrego un beso jugoso en ese otro lugar. «Abrázame fuerte» y la enredo entre mis brazos y le acaricio la espalda. Ay gat da point, doña, déjeme usted lo demás.

Le quito el cabello de la frente, le sonrío, toco su mejilla rasposa como lija. ¡Tire el chicle, doñita, por favor! Le voy a dar un beso muy parecido a los que untaba Clark Gable sobre las mujeres hermosas de Hollywood. Empezará con delicadeza, como plantando la primera semilla en un terreno que estará lleno de hortalizas; luego el beso tomará confianza, descubrirá en su piel un nuevo idioma y leerá para usted poemas que hablarán de la lluvia, de temas cursis que buscarán conmoverla hasta las lágrimas. Para finalizar, el beso fijará un estandarte y dirá «Este continente es mío».

–Dígame, Margarita, ¿es eso lo que quiere?

–Sí, mijo, eso mismo exacto exacto es lo que quiero.

–Ándele pues, doñita, cierre sus ojos que ahí le voy.

Ella cierra sus ojos y la contemplo unos segundos, la dejo que suspire y se desespere y se canse; justo cuando siento que los abrirá, enfadada, me acerco a su boca y le deposito mis labios, primero con suavidad, después con humedad y finalmente con deleite. Así lo hizo Clark Gable. Así besó a Vivian Leigh y a Carole Lombard, así con sus orejotas y su rayita de bigote, así así.

–¿Eso fue todo? –pregunta la doña Vivian.

–¿A poco quiere más? ¿A poco no vio estrellitas? Dígame la verdad: ¿a poco no volaron sus golondrinas hacia San Juan Capistrano?

–Lo que tú digas, mijo.

–Mire, si no la impresiono con mis acciones ni con mis palabras, pos mejor me voy, doña. Al cabo que nomás vine por una cerveza.

–No me hagas eso; ya sabes que te estaba esperando... Yo te quiero con toda el alma.

–Juar juar, ¿no me diga que usted todavía cree en el amor?

–Y ¿por qué no?

–Calmada, doñita, como diría el poeta: «Amor, hagamos cuentas. A mi edad no es posible engañar o engañarnos».

–Tú no me entiendes, güero. Estás bromeando, como siempre.

–¿Qué quiere que yo entienda?, ¿sus palabras? No las entiendo ni las escucho. Son huecas como las mías, deshaciéndose por tanto uso y reuso, los mismos verbos conjugados hasta el desgaste como los pistones de una máquina sin aceite. ¿El amor? Le digo una cosa: yo no daría la vida por el amor; si llega o se marcha, me da lo mismo.

Le digo eso y me arrepiento. Así es uno de pendejo, así se la pasa uno diciendo y haciendo y arrepintiéndose después. De repente llega un silencio que se mete entre los dos. Un silencio estorboso que no se aleja. Me parece que algo se sale de doña Margarita, una luz, un resplandor. Lo veo escaparse de su cuerpo, dar unos pasos inseguros y luego alejarse corriendo. La doñita se echa un trago de mi cerveza y sonríe un poco, un poquito:

–Mejor no hablamos de eso –me dice–. ¿Bailamos la que sigue?

11

¿Te digo una cosa, compa? Siéntate por aquí. Guacha: Laurita la delgadita tiene una sonrisa que me arroja sus dientes a la cara. Una sonrisa amplia, grandota, que le cubre el rostro como una media luna. Hasta puedo contar sus dientes: incisivos, caninos, premolares y molares. Cualquiera los puede contar y eso me da celos. Soy un bato que no está libre de celos, traigo mi colección en la cartera. Como estas fotos. Míralas bien porque rara vez salen de aquí y no las volverás a ver. Esta niña, ¿observas esa sonrisa? Mi-jiiiii-ta. Ripit after mi: mi-jiiiii-ta. No sé por qué te la enseño, será porque me brindas confianza, carnal, como si fueras un compa de hace muchos años.

¿Mis amigos de verdad?, ellos no conocen el dolor, son pretérito. No tuvieron que tragarse mi sufrimiento como si fuera un tarro de amarga saliva, los dejé en el pasado, en mi otra vida. Mis amigotes... tú podrías ser uno de ellos. Ya me olvidé de sus caras, ¿no eres uno de ellos?

Ahora he decidido nombrarte mi compita del alma y te voy a enseñar las fotos de mi cartera. A ver, a ver, ¿ya te aprendiste su nombre? Mi-jiiiii-ta. ¿Guats in a neim? Y esta mujer, mírala bien, mira sus ojos. Es-poooo-sa. Sus ojos, compa. Como dice la canción: necesitabas todo el santo día nada más para mirar en sus ojos. Y ésta otra foto, mírala, sin miedo, es mi móder, la matriarca misma, incubadora de mi vida, gordita y simpática, creadora de los mejores chiles rellenos de los Unáired Steits, que en paz descansen. ¿Quién falta en esta familia feliz? Adivina, ándale. Los hombres, los batos, los rucos. ¿Dónde estoy, dónde está mi padre? Un premio si adivinas. Estoy en mi tra-baaaaa-jo, carnal, en la faquin escuela donde daba las faquin clasecitas a los niños enfadosos del barrio, ganándome el pan de cada día, enseñándoles el faquin inglés porque se supone que sólo el faquin inglés pueden hablar en mi país de mierda, land-of-da-faquin-fri. Nada de español, ¿ves?, nada que se le parezca. Por eso he decidido, damas y caballeros, que de hoy en adelante, mi lengua será el spánich, ¿qué te parece? El spánich and ay guont spik enithing els. ¿Qué te pasa, carnal? ¿A dónde vas? Te falta una foto. ¿Por qué no me preguntas dónde está el patriarca? No te vayas, no des un paso más o voy por ti.

¿ME OÍSTE?

¿Y el papá? Ese güey ni sus luces, carnal. Sí tuve un padre y él sí tuvo un hijo. Guacha: te lo puedo dibujar. ¿Ah, no? Pues aunque no quieras, imagínate la foto. Six-fut-faiv. Grandote, el condenado. Güero güero güerísimo con el pelo lacio color dorado como las pinturitas de aceite marca Testone. Ah, ¿se parece a mí? Ni de chiste. Mira bien la foto, ¿qué no lo puedes ver con su portafolio y su tri-pis-sut y sus tarjetas de presentación y sus zapatos recién boleados?, ¿no lo puedes ver? ¿A dónde vas?

MÁS VALE QUE NO TE VAYAS.

Vendía faquin aspiradoras de la Kenmore. Unas faquin aspiradoras que no se descomponían y que recogían los líquidos tan bien o mejor que los polvos. Señora, ama de casa: estas maquinitas son una ganga a este precio y además en cómodas mensualidades para que le rinda su dinerito y su hogar sea siempre dulce hogar limpiecito como su vida, señora. ¿Tú crees que ese bato se parece a mí?

Nunca

nunca

nunca

me lo vuelvas a decir.

Ahí viene la policía guans aguén. Ahí vienen a recoger al güero. Ahí vienen. ¿Cuáles reglas hemos roto cómo lo llamamos qué clave le ponemos? 10-38 10-39 ¿Cómo le llamamos cómo aplicamos el reglamento qué hacemos con este sujeto pobre sujeto que no tiene nada nada en la vida? Se está pasando se está pasando de listo se está volviendo gritón y escandaloso y molesta a los que circulan por la calle y detiene a los transeúntes y les dice les cuenta les enseña los harapos de su vida. El pobre tenía un pasado. Se lo quitaron. Así así se lo quitaron de encima. Tenía un pasado tranquilo que podía planchar y podía ponerse como ropa en los días de fiesta. No le han dejado nada al pobre. Por eso estoy aquí molestando arrojando mi desilusión por la calle como confeti. Déjenlo oficiales déjenlo en su nostalgia en su pasado. ¿Para qué se lo llevan qué harían con él qué haría cualquiera con él? 10-42 10-43. Todo tranquilo señor policía mejor ahí lo dejamos y aquí tiene por sus molestias aquí tiene por el favor que le hace ahí lo dejamos le juro que ya no hace escándalo. Guardo cualquier fechoría cualquier sentimiento en bruto okey lo guardo lo regreso a mi cartera lo hundo en el fondo de los recuerdos. Está bien está bien. 10-43 10-28. Debería existir una clave para los que tienen herido el corazón.

Mira esto, Beto, mi último billete de la noche. Justo para la última cerveza. Ni modo, creo que no voy a tener para los sagrados alimentos de mañana. Dats laif. A veces es necesario escoger, cómo te diré, seleccionar entre lo que es vital y lo que es indispensable, entre lo que ayuda a vivir y lo que ayuda a sobrevivir. Eres un buen tipo, Beto, eres como un ángel de la guarda, triste y resignado a ser un ángel. Dime la verdad: ¿cuánta gente conoces que viene a hundir sus penas en esta barra? Chingos y chingos, ¿a poco no? Soy uno de tantos, ya lo sé, mis penas son mayores o menores que las de cualquier pendejo. ¿Cómo me clasificas, Beto? Tú que eres un maestro del entendimiento humano debes saber qué tipo de borracho soy. A ver, a ver. Inciso a: borracho fulminante. Inciso b: borracho chillón. Inciso c: borracho escandaloso. Inciso d: al-of-di-abov. Tú debes conocer bien las clasificaciones. Hay unos que se ahogan por puro deleite, ¿no?, por pura diversión, porque la sobriedad es muy aburrida y necesitan darle un jalón de orejas a la neta que están viviendo. ¿No te parece, Beto?

–Te digo la verdad, güero: lo único que quiero es que llegue la hora de cerrar y largarme a dormir.

Sabio ese Beto. Debe ser muy difícil tolerar a los borrachos; yo no podría, sé que no podría soportar los enormes rollos que salen de una boca apestosa a licor. Me cae que yo los mandaría a volar, lejos. Se requiere cierta disciplina, como la que tú tienes, Beto, para aguantarlos. La noche está llena de locos. Nunca sabes cuándo tu mejor amigo enloquece, se vuelve otra persona y trata de matarte. Por eso es mejor desconfiar de todo mundo. No dejar que se acerquen, mantenerlos a distancia, ¿o no?

–Inciso e: borracho paranoico –dice el Beto y tengo la impresión de que será la última clasificación de la noche.

El cansancio es traicionero. Lo tienes en el organismo como una gripe infernal y a partir de ese momento quieres dormir, descansar. Laurita, en cambio, se mantiene fresca. Laurita que anda de un lugar a otro, sonriendo, limpiando las mesas, recogiendo los botes y los vasos. El Ciruelo la ha estado llamando desde hace rato, sentado en una esquina, fumando, echándose un trago bien servido a diferencia de los que generalmente sirven aquí. Laurita no le hace caso, es independiente, ligera, ave transparente.

–He allí un problema que está por venir –dice el Beto.

Yo procuro no hablar con el Ciruelo, ni me acerco. Es de esas personas con las que hablas una vez y decides ya no volver a dirigirle la palabra en toda tu pinche vida. Yo podría cambiar de congal; lamentablemente, está comprobado que en ningún otro se puede encontrar a una Laurita que te sonría con sus bellos dientes de verano. Pasarse el tiempo mirándola vale toditas las penas del mundo.

Ya estoy exagerando otra vez, para variar.

El Ciruelo se levanta con toda la noción perdida de lo que es el equilibrio. Así, caminando como lo hace, no es la mitad de lo que era cuando estaba sentado, pierde toda compostura, ya no es el patrón rudo; parece un títere, parece que alguien, un marionetero, lo mueve desde una altura incalculable.

Un hombre pocas veces tiene la oportunidad de portarse como un auténtico cáuboy. Cuando veo al Ciruelo jalando a Laurita y sacudiéndola, me vienen las películas que veía cuando era niño, esos duelos a mitad de las calles polvosas, esas victorias de los buenos contra los malos. Busco la pistola y el caballo, no hay nada a la vista. Beto enjuagando unos vasos y los demás clientes y meseros ignorando lo que estoy viendo. Tal vez ellos no vieron las mismas películas que yo, tal vez Alan Ladd jamás baleó al maldito Jack Palance en las películas de su vida. Nadie entiende esta invitación a luchar por el honor de una beibi desamparada.

El Ciruelo sacude a Laurita y ella se defiende como puede, luego se arma una escandalera de gritos que los parroquianos siguen ignorando. En las películas siempre hay una cachetada, ella a él o él a ella, un chingazo limpiecito que hace llegar a su clímax el sáuntrac de la película. Aquí no hay cachetada, ella lo empuja con una rabia hermosa que yo no le conocía.

Comprendo que ha llegado la escena decisiva, la hora de enfrentarme a Jack Palance.

Aunque no hay un espejo cercano que lo confirme, diría que traigo una mirada desafiante y el aspecto que sólo puede tener un hombre que se enfrenta a su destino. Por ahí escucho el sonido de mis espuelas raspando el piso de madera. Quihubo, partner. Me levanto de mi asiento y voy a dar el primer paso, desenfundar con velocidad luz. Me fallan las piernas y más bien acabo en el suelo. ¡Sóbate! Desde arriba, Beto se asoma y sonríe.

–Qué te pasa, güerito, no te andes cayendo.

La verdad es que no ando cayéndome, ya estoy caído. Y con mucha dificultad me levanto. Veo a Laurita saliendo del bar y logro sentarme de nuevo. El Ciruelo regresa a su mesa. Esta vez Alan Ladd estaba borracho. No cabe duda que los tiempos cambian.

–Creo que no te has dado cuenta –dice el Beto–, Laurita es la novia del Ciruelo. Al rato regresa, no es la primera vez que pasa.

Me gusta este desenlace para que Alan Ladd regrese a su casa y se deje de pendejadas.

15

De lunes a viernes me dedico a reparar carrocerías. Sacar los golpes de la vida, enderezar láminas, poner bondo, lijar hasta la perfección, rociar de práimer y pintar. Es un buen trabajo, algo que se hace con las manos, en silencio. Tengo muchos años en el taller. Lo hago bastante bien.

Cuando salí de la escuela nunca imaginé que acabaría en este rollo, tenía el espíritu hinchado de tantos estudios, tenía grandes planes para el futuro, tenía mi familia, tenía mis amigos. Si me hubieras visto en esa época, carnal, me cae que no la ibas a creer. Caminaba derechito sin mirar el suelo. Me gustaba la poesía, me cae, así como se oye de ridículo; me gustaba leer poesía y novelas y cuentos y ensayos, todo ese búlchit me encantaba. También a mi esposa. Nos pasábamos la noche leyéndonos leyéndonos mientras la niña dormía, a ver quién se acordaba de los versos más chingones. Era una competencia que ganaba ella por lo general. Citaba un poema que me mataba, un verso pequeñito que nos hacía llorar o guardar silencio. Entonces íbamos ambos, tomados de la mano, y nos asomábamos al cuarto de la niña para asegurarnos que estuviera bien, que la fuerza de ese último poema no la hubiera despertado. Estaba dormidita, en paz con el mundo, su pecho subiendo y bajando suavemente. Sus pestañas rizadas eran lo más elocuente que tenía; porque todo lo demás era chiquitito, una miniatura que comprarías en la casa de muñecas, nariz, pies y manos, no había nada similar o mejor en el universo, nada que se comparara.

De repente se acabó. Así como cierras un libro o una puerta o las manos. Paf. El final.

Cada automóvil chocado que llega al taller es un reto. Es un carro que debo dejar perfecto. A mi patrón le encanta que yo sea tan dedicado y tenga tan bien puesta la camiseta de la empresa. Perdónalo, es un pendejo. No se le ocurre que sus obreros tienen pasado; él piensa que nacieron el día que llenaron la solicitud de empleo. Perdónalo, es un pendejo. Cada uno de mis compas carroceros tiene su propia historia, su porqué está en ese taller. Ninguno que yo conozca puede decir que contestó «carrocero» cuando era niño y le preguntaron lo que quería hacer cuando fuera grande. A la mayoría se le antojaba ser doctor, el que más se acercaba le interesaba ser mecánico de las carreras Indianápolis. Yo deseaba ser profesor; me parecía que era muy decente pararse delante de los demás niños y predicarles la neta. Bueno, yo era un niño así que gua da fac podía saber. Quizás, si alguien nos hubiera explicado lo que hacía un carrocero, me habría gustado la idea. ¿Por qué no? Carrocero: dedicado a hacer que las cosas sean como fueron, capaz de borrar las huellas de los accidentes, devolver el pasado. Tal vez el niño güerito se habría parado y dicho «¡Carrocero, simón, porque en mis manos estaría cambiar al mundo!»

No aprendí ese oficio en la escuela, eso vino después. Si no, por lo menos tendría todavía mi carro. Estaría viejito pero con fuerza. Tal para cual, el dueño y su auto, diría la raza.

Ese carro no lo pude reparar. De seguro se fue al cielo, el pobrecito, a dónde más. Por eso le meto tantas ganas a mi trabajo, imposible explicárselo a mi patrón pendejo: cada golpe que saco, cada trabajo terminado es reparar mi carro que está en el cielo, me cae, y lo he hecho durante tantos años que te puedo asegurar que ya está nuevecito, brilloso, como cuando lo sacamos de la agencia.

Hubieras visto el gusto de mi esposa cuando le puse las llaves en la mano.

16

Ah pues sí, semejante bruto. Igual se habrá enterado el estúpido de Copérnico que los planetas giraban alrededor del sol. Algo tan obvio como eso, carnal, algo en mis narizotas que tal vez nunca en la vida se me habría ocurrido. El estúpido de Copérnico también habría recibido la idea de un desolado barténder. ¿De qué otra manera pudo haber sido? Laurita también es un sol, ¿por qué voy a pensar que sólo existe un mundo girando alrededor de ella?, ¿por qué no imaginar otras órbitas con otros planetas y otros satélites y las estrellas y meteoritos y asteroides y el pinche Ciruelo? Y luego los imbéciles ni así le creyeron a Copérnico, pobres, ilusos, fanáticos, insolentes, borrachos, mediocres.

Ahora, ¿dónde está Laurita, por cuál vía láctea, por cuál callejón? ¿A poco supernova y foréver adiós? Pinchestúpido Copérnico, ¿por qué no me dijiste?

–Calmado calmado –se burla el Beto–. Bájale a tu drama, Libertad Lamarque: vas a ver que esa morra siempre regresa.

17

La calle está despierta para todos menos para mí. Esto es lo malo de quedarte sin dinero. Cuando ya estás chupando el último cigarro, cuando das el último golpe y el humo se escurre despacito de tus pulmones, es mejor pensar en el regreso, encaminarte hacia la realidad, decirle gudbay a esta noche o decirle okey okey, nos guachamos nex wik.

No voy a decir que no contaré los días hasta el próximo sábado; ni modo, en el fondo soy un sentimental como cualquier abuelito de Heidi. No voy a clavarme en ese rollo. Nada es como estar sentado tanto tiempo que ya eres parte de la banqueta, igual que un semáforo. Nomás que yo no sirvo para dirigir el tráfico, neta, dejaría pasar a todo mundo y nunca les pondría una luz roja; un amarillo de vez en cuando para no dejar. Verde y verde y verde para carros y personas por igual. En un mundo donde yo dirigiera el tránsito, nadie chocaría ni atropellaría porque el tránsito sería del espíritu, incluiría viajes y vacaciones astrales, almas flotando: ahí va el alma de un taxista, bay-bay taxista; por allá va el alma de un travesti, bay-bay travesti; miren miren, el alma de una bailarina, mamacita, bay-bay bailarina, bay-bay mamacita. Lo mejor es ya no volver a tomar, venir la próxima semana, sentarme en mi esquina y no beber una gota. Sí, cómo no. Si la mitad de este buen viaje es la cerveza tequila whiskey mezcal vodka lo que sea. Okey okey, digamos que no soy el póster-boy de alcohólicos anónimos, sólo soy un borracho decente, calmado, ¿ya dije decente? Que me perdonen las almas morales si es que las he ofendido, bay-bay almas morales. Ni siquiera puedo continuar con esta dirección del tráfico. Sorri. Se me acabó el último cinco y sin un cinco no soy otra cosa que un borracho-lait, de esos que no vale la pena reconocer en la calle porque se acercan a bajarte una feria y unos cigarros.

–¿Con quién estás hablando, güero?

Me sorprende con su voz de ángel. A esta hora sólo hay ángeles y borrachos en la calle.

–Mira quién se aparece por estos rumbos, la perdida.

–Yo no soy ninguna perdida.

–No no no no no, no lo digo en el sentido de Agustín Lara. Lo digo dirigiéndome a la beibi que yo andaba buscando y no encontraba.

–Ay, ¿a poco me andabas buscando?

Quisiera decirle: Laurita la delgadita eres como un Alka-Seltzer, como una tacita de café caliente. Le digo:

–¿Traes un cigarrito para un borrachito? Gracias. Neta que te he buscado toda mi vida.

–Voy, voy.

–Simón. Aunque tú me digas «Qué te pasa, si yo no he circulado los mismos años que tú», no importa, lo repito: te he buscado toda mi vida.

–Se me hace que andas hasta atrás; de todos modos me caes bien.

Quisiera decirle: Tú me caes en el corazón y lo agarras de trampolín. Brinca brinca en mi corazón. Le digo:

–Cómo no, mija, es que sientes la vibra. Du yu fil laik ay du?

–A veces te pasas de listo: me has ofendido gacho. Yo me acuerdo que una vez...

Quisiera decirle: Por ti compraría un rancho donde yo pudiera tener un arado y una parcela. Le digo:

–Hey, hey, si no me acuerdo no es cierto.

–Qué cabrón.

–¿Guasumara, beibi?

–Ya no tengo trabajo, güero.

Quisiera decirle: Te llevaría a ese rancho y te cantaría «De piedra ha de ser la cama, de piedra la cabecera». Le digo:

–No te agüites, mija, ya era hora de cambiar. ¿Cuántos años tenías ahí?

–Seis meses.

–¿Tan poquito?

–Sí, bien poquito, ¿creíste que era más?

Quisiera decirle: Me pararía en la puerta del rancho con mi escopeta cuidando que no vinieran bandidos a molestarte. Le digo:

—Pues… bueno… cuando uno tiene sentimientos tan profundos por una persona… es decir, como los míos por ti, uno supone que deberían haber comenzado hace unos diez mil años… digo, si se quiere pensar que los sentimientos son verdaderamente importantes. ¿O no?

—Quién sabe, no sé.

—Sí sí, aunque corra el riesgo de parecer un bato muy acá, debo decirte que muchas veces el amor trasciende las edades. Encuentros como éste, como el nuestro, no se pueden ignorar. El verano fluye en una dirección íntima, común a los dos.

—Uy, nunca te había oído hablar así de bonito.

Quisiera decirle: «Y en ese ranchito…»; pero ya es muy noche y a estas horas suele faltarme originalidad. Le digo:

—Hay tiempo para todo, Laurita.

—¿Cómo le haces para saber tanto?

—Pos leyendo, mija.

—¿De veras has leído mucho?

—Como para colmar los sentimientos profundos que siento por ti.

Quisiera decirle: No cabe duda que la cursilería cumple una función muy importante en la vida de todos los hombres. Me dice:

—¿Cuáles sentimientos profundos si yo ni siquiera sé cómo te llamas?

57

18

¿Cómo te llamas, güero? Nunca me has dicho tu nombre.

Hace mucho que nadie me pregunta eso, mija, creo que ya ni me acuerdo.

Ándale, dime, ¿cómo te llamas?

¿Para qué quieres?

Nomás, nomás. Tú ya sabes mi nombre y yo no me sé el tuyo.

Así es la vida, mija, una gran balanza con ventajas por un lado y desventajas por el otro. Yo, por ejemplo, tengo la ventaja de conocer tu nombre.

No estés jugando y dímelo.

Para qué.

Ándale. Por favor.

Okey. Me llamo Jean Claude Van Damme. ¿Qué te parece?

Uy, qué nombre tan raro.

¿Te gusta?

A ver, ¿me lo dices otra vez?

Jean Claude Van Damme.

Suena bonito, pero me daría miedo repetirlo.

Sí, mejor no lo hagas, mija; mi nombre no se lo merece. Mejor dime palabras dulces al oído, despacito despacito, y repítelas toda la noche para que cada minuto detenga el tiempo y se atore, respirando, en las entrañas de mi reloj.

19

¿Qué voy hacer contigo, eh? Se me ocurren muchas cosas, Laurita, no sé por dónde empezar. ¿Cuántos años tienes? La verdad, eh. Dieciocho, néver. ¿Qué te parece dieciséis? ¿Mentiritas? Qué caso tiene. Dieciséis como mi niña tendría dieciséis. Igual que mi niña linda. Terrible pensarlo. Terrible. Mejor no pienso en ella, mija. La nostalgia, la pinche nostalgia ya no es lo que era. Mi hija sonreía también, como tú, con toda su hilera de dientes blancos. Terrible terrible. Mejor ahí la dejamos. Que este cuarto feo en este hotel de tercera sea testigo de que no toqué a Laurita la delgadita, de que la dejé sana y salva, libre de tentaciones mundanas aunque la tuve al alcance de mis dedos lujuriosos. El que no ha pecado que arroje el primer condón. Sorri, niña. Its nat may stail. Estarás bien para el Ciruelo, eso a mí no me va ni me viene, asunto de ustedes dos. Así que deja de reír o de llorar o de cualquier cosa que hagas. Aquí no pasó nada, beibi. Tú eres el retrato de mi niña que me hacía falta, ese retrato que no pude tomar ni cargar en la cartera, el retrato de los dieciséis años que ella nunca cumplió. Mejor me voy a mi esquina, beibi, alguien por ahí pudiera estarme buscando, algún ángel solitario con ganas de invitarme una cerveza a cambio de escuchar sus pendejadas, its al rait wit mi, beibi, mientras lleguen las botellas este bato será el oído del mundo. Aiv gat nathin tu lus. Me voy, Laurita, me voy. Es cierto que desde hace mucho he querido estar contigo en un hotel, sobre una cama como ésta. Es cierto que ha sido mi fantasía recurrente. Es cierto que eres como un premio. Es cierto que tengo la idea de que te merezco aunque sea por una noche, que una beibi como tú sería el merecido trofeo por la vida agria de cualquier pobre hombre.

¿Por qué me voy? Muy buena pregunta, mija, y te la voy a responder. Me voy porque en la vida del ser humano... este... en la vida... llega el momento de la verdad... Sí, llega el momento de... llega el momento de decir ahora es cuando debo detenerme, ¿ves?, cuando debo decirme que tengo el derecho y la voluntad de vez en cuando, al menos, de no hacer lo que quiero hacer con el cuerpo... y con el alma...

Calmado, calmado. ¿Qué me pasa, qué estoy diciendo?

La verdad es que no hay mujer más perfecta que la mujer que está contigo en la cama, por más imperfecto que sea uno mismo.

Perdón, Laurita delgadita y hermosa y caliente y divina: tienes razón, creo que no me voy. Delgadita y seductora: ya era hora que le echaras tus ojitos a este viejo de limón.

Chiquilla: ¿crees que te iba a esperar toda mi vida hasta que te decidieras? Claro que lo habría hecho.

Laurita perfecta, entrante y saliente, Laurita de mi corazón latiendo: ¿crees que voy a dejar escapar el mejor final?

20

Dominguito en la mañana. La verdad es que este bato no está nada mal, todavía le funciona la maquinaria. Eso sí, con Laurita no tuve mucho tiempo de aventarme el discurso de «nos guachamos nex güik». Cuando desperté, la princesita ya no estaba allí, se había desaparecido, quizás convertida en Cenicienta y su taxi en calabaza. Ju quers.

Éste es un buen domingo, no es como otros. Salgo del hotel y la vida me recibe como a un compadre, con un abrazo fuerte y unas palmadas sonoras en la espalda. De cualquier forma, yo supongo que Laurita la delgadita no se puede archivar igual que otras morras. Aquéllas no regresaron, por más que llovieron promesas de aquí para allá y de allá para acá, yo permanecí en mi esquina y ellas nunca regresaron. Sach is laif. Yo creo que con Laurita la situación es distinta porque tiene que volver, al menos si el Beto no se equivoca.

Me parece que el próximo sabadito será un buen día para que el Ciruelo muerda el polvo, sí.

Se me hace que ya llegó su hora y besará el piso como Jack Palance y todos los de su calaña.

Laurita: Te estaré esperando y te llevaré montada en mi fiel tordillo hacia el legendario sánset de nuestros sueños, donde la palabra FIN dará comienzo a nuestra vida juntos. Juar juar. Cómo no.

Me despido de esta calle, de sus congales, de sus farmacias y de sus restaurantes. Más bien, yo diría −y perdón que me contradiga tan rápido− que lo mejor será cambiar de congal para la próxima semana, tal vez no sea mala idea moverme de aquí, sentarme dos cuadras adelante. Me han dicho que por allá también hay buenas esquinas.

Superado el asunto de Laurita, ya es tiempo de emprender la mudanza, el cambio de escenario. No sé, no sé. La verdad: del dicho al hecho qué importa.

Me despido de los amigos y de los policías que ya se fueron a dormir, me despido de doña Azucena que nunca me responde el saludo y de doña Margarita que lo responde demasiado pronto. Los domingos son para descansar, para ver el beisbol, para vaciar de cervezas el refrigerador, para regar el jardín con el producto de mis riñones, para molestar a los vecinos, para etcétera. Onda de gringos.

−Hey, doña Margarita: ¿usted cree que soy un gringo? Dígame la verdad.

−Qué otra cosa, mijo, un gringuito como todos.

−Ayay, sus palabras me lastiman.

−No seas así, güero. Vine a buscarte.

−No empiece, doña

–Ahora sí llévame contigo. Ándale. Mi amor es bueno, ¿a poco no lo sientes?

Es hora de acelerar el paso. Ella me quiere guardar en su monedero con el resto de sus cacharpitas. Mejor ya váyase a dormir, doñita, le cuelgan las ojeras hasta el piso. No le importa: ella me sigue, me alcanza.

–Mira, güerito, traigo mi pasaporte. Llévame contigo, no seas malo.

¿El pasaporte? Trae también su maleta y su vida bien dobladita junto a sus pantaletas y brasieres. No tanks. Este buque ya zarpó y comienza a perderse de vista. Despídase, Margarita. Bájese de mi fiel tordillo que este caballo no es lo suficientemente grande para los dos. Ahora sí se planta la palabra FIN en el horizonte y se acaba esta conversación. Por eso mejor le corro, rápido rápido me alejo de esta calle y de esta ciudad y de este país.

Si vas a huir, que sea de una mujer. Ésa es la moraleja de mi historia, la conclusión para todos los que conocen mi vida. Y cuando tienes la oportunidad de alejarte de una mujer, hazlo ya, no pierdas el tiempo. Hay amores por los que yo no daría la vida, ¿me entiendes? Mejor nos vemos el próximo sábado, nos guachamos nexwik.

–Por aquí voy andar, mijo, recuerda que yo... que tú... que los dos...

–Sí, claro –le digo desde muy lejos, desde ese punto en la distancia donde nadie te puede escuchar. Desde ahí y todavía unos pasos más adelante.

Todos los barcos

¿Qué hora es? Ellos llegan por ahí de las ocho y media. Steve conoce bien el camino. Sus amigos no dejan de reír. A Ken le parecen estúpidos, siempre le han parecido unos estúpidos. En realidad quisiera estar en su casa. A las nueve empieza su programa favorito. Pero ahí está, siguiendo a Steve porque es un regalo de cumpleaños, porque siempre había dicho Vas a ver, cuando cumplas dieciocho te voy a llevar a Tijuana. Pues sí: ocho y media, rumbo a la avenida Revolución. Peregrinaje. Alrededor las ofertas, el comercio: artesanías, cigarros, taxi-taxi, señoras pidiendo limosna con bebés amarrados a sus espaldas. El camino está sucio. ¿Nunca lo limpian? Ken no espera nada bueno de esta noche. Los amigos de su hermano risa-risa, se despeinan, se patean el culo, corren, se alcanzan, se golpean. Junto a ellos, tres muchachas se dicen secretos y sonríen. Llegan a la Revolución y de nuevo la gente. Enormes filas por las banquetas, husmeando: cantinas, restaurantes, farmacias. ¿Por qué tantas farmacias? Steve le da un abrazo a Ken y le dice algo así como Hermanito, éste es el paraíso. Luego se ríe. Afuera de los bares, los meseros llaman a la gente, ofrecen cerveza barata, margaritas gratis, reparten volantes. Aquí aquí, dice uno de los amigos. Las muchachas entran al mismo lugar. La música retumba: tas-tas-tas-tas, nunca deja de hacerlo. Cervezas baratas. Ellos enseñan sus identificaciones. No hay problema. El mesero revisa cuidadosamente la de Ken. Feliz cumpleaños, le dice en un inglés perfecto. Piden cervezas. Las muchachas se sientan cerca de ellos. En medio de las mesas, y de toda la gente y del tas-tas-tas-tas. Gente brincando, haciendo escándalo. Uno de los amigos de Steve aúlla. Las muchachas, carcajadas. El otro amigo se sienta junto a ellas. Hace un comentario gracioso. Una coquetea; las otras, sonrisas. Vacían sus botellas. El amigo regresa y le dice a Steve algo así como Ya la hicimos. No se oye, no se oye. Tas-tas-tas-tas. Ken aburrido. El otro sigue aullando. ¿Se llama Bob? No importa: son los amigos estúpidos de su hermano, no tienen nombre. Quiere que se vayan a sentar junto a las muchachas. Steve dice que no, que ya es hora de irse a otro lugar. Bob: Creo que ya la hice con la flaquita. Voltea a mirarla. Flaquita sonrisita. Le dice algo a sus amigas. Steve paga. Flaquita indiferencia. El amigo voltea antes de salir. Flaquita lo ignora. Steve: Ésta es la noche de mi hermano, no vamos a perder el tiempo. El hermano ya quiere regresar a su casa, prefiere estar viendo la tele. Steve se molesta. Qué te pasa, tienes dieciocho años. Los amigos empujan a Ken, lo despeinan, patada en el culo. Estúpidos. ¿Por qué tuvieron que venir ellos? Steve sonríe, lo jala a otro bar. Tas-tas-tas-tas. Meseros. Cervezas baratas. Dos cada uno. Salen. Tas-tas-tas-tas. Música por todos lados. La gente: rubia, negra, oriental, jóvenes todos. El acelere dale-dale. Gritos. Carca. Jadas. Meseros. Corriendo, la gente corriendo. La policía: una patrulla que lentamente. Figuras oscuras que encienden. Cigarrillos. Congestionamiento en la avenida. Muchachos asoman sus cabezas afuera de los automóviles. Gritan. Cerveza por los aires. La policía: detiene, infracciona, acarrea escandalosos. Ya stuvo, ya stuvo. Cierran la calle para que no haya más tráfico. La multitud invade el pavimento. Baila que baila. Tres muchachas corren, entusiasmadas. Tas-tas-tas-tas. Arriba, bares con terraza. Muchachos y muchachas gritando y bailando. Besándose. En las banquetas, señoras pidiendo limosna, bebés atados a sus espaldas; señoras en el piso, ofreciendo pulseritas, artesanías. Two for dollar. Inglés perfecto. Steve y Ken entran a otro bar. Burlesque-burlesque. Afuera, unos tipos jalando a la gente para que entre: Hey, hey, amigos, amigos, we have the best pussy for you. Risas-risas. Afortunadamente: mesa junto a la pista. El lugar está imposible. Gente gente gente gente. Cerveza, cerveza all around. Steve: ya deja de pensar en ella. ¿Qué dijiste? No se oye, no se oye. Tas-tas-tas-tas. Sobre la pista baila una mujer alta, hermosa, senos y caderas enormes. Ropa exótica, atrevida, cargada de lentejuelas. Paso a paso, manos bellas, desabotonan, desabotonan. Los amigos gritan, aúllan. Risa-risa-risa. Ken se quiere ir, lo repite, Ken se quiere ir. La belleza se contorsiona. Gira alrededor de un tubo de metal. Uno de los amigos (¿Mark?) se acerca a la mujer y le ofrece un dólar. Ella arrebata el billete. El amigo toca los enormes senos, los besa. Luego grita, aúlla. Y otros gritan también. Y otros extraen sus billetes también. Al rato sale una pelirroja, igualmente despampanante: senos, caderas, piernas. Banderita gringa en el bikini. Marcha. Saludo militar. Cuatro de julio. Multitud grita, aplaude. Un soldado quiere subir a la pista. No trae uniforme; cualquiera sabe que es un soldado. Alcanza a jalar el brazo de la mujer. Tres hombres se acercan, lo detienen. Le sonríen. Lo calman. Tranquilo-tranquilo. Steve: Ya deja de pensar en ella. Ken se molesta. Okey, sí estaba pensando en ella. ¿Cómo evitarlo? Siempre piensa en ella, desde que la conoció. ¿Okey? Desde que alguien se la presentó en la escuela y ella sonrió y ella dijo me llamo Carol. Okey, okey. Sigue pensando en ella. Y qué. Déjame, a ti qué te importa. Steve: Es que estás bien tonto; te dije desde un principio que no te iba a hacer caso. Sube otra mujer a la pista. Muy distinta. Delgada, chaparra, morena. Baila torpemente. Cicatriz horizontal en el vientre. Ojos que brillan. Hombres se levantan de sus asientos y ofrecen billetes, más billetes. Ella complace: tocan senos, nalgas, pubis. Pero Carol sí le hizo caso. Le hizo mucho caso. Sonrió, se dejó tomar la mano. Le dijo que. Ni decírselo a su hermano: saldría con la misma historia de que no era su tipo, que debería buscarse alguien más parecido a él, alguien de su edad, dejarse de pendejadas. Carol circula en sus pensamientos. Y vueltas y vueltas. Y Carol y Carol. La mujer delgada baja de la pista con las manos llenas de billetes, sonriendo. Thank you. Thank you. Una señora cincuentona se acerca a Steve y le exige una cerveza. Risas-risas. La señora es gorda; su maquillaje, exagerado. No no no no no. Risas-risas. Algunas de las mujeres que estaban bailando caminan entre el público, se acercan a las mesas. No falta quién les invite un trago. Mujer preciosa se acerca a la mesa de Ken. Steve le da un beso en la mejilla. Mujer coqueta. Simpática. Ojos profundos, oscuros. Se llama Yvette. Eso dice ella. Me llamo Yvette. Mark nervioso, Bob nervioso. La mano de Steve en la pierna de Yvette. Ken se quiere ir. Steve pide tequilas. Ken. Ya está. Mareado. El mundo comienza a dar. Vueltas. El planeta alrededor de su eje. Gira que gira. Y los amigos de su hermano ríen, sacan y ofrecen billetes a las bailarinas. Carol, Carol. Y un día Ken la encontró besando a otro muchacho; uno mayor, más inteligente, más agradable. Y Ken no supo qué hacer además de verla. Y ella se dio cuenta, pero no dejó de hablar con el otro muchacho. Y Ken deseaba acercarse, pedir una explicación. Carol, por favor. Ya no pienses en ella, interrumpe Yvette. Y Ken no puede creer que diga tal cosa. ¿Qué le dijiste, Steve? Su hermano lo ignora, rumbo al baño. ¿Qué te dijo? Yvette sonríe suavemente, una playa de sonrisa. Pone la mano en la pierna de Ken. Acaricia. Me dijo que tienes el corazón roto. Me dijo que nunca te has enamorado. Me dijo que eres virgen. Ken sorprendido, sintiéndose tonto: tonto-tonto-tonto. Pero eso lo podemos remediar, concluye Yvette sabiduría. Su mirada es profunda como esos lugares en el mar donde todos los barcos se hunden. Ken se levanta. Sale corriendo. El mundo gira y gira y gira. Steve y amigos tras él. No lo alcanzan. No lo intentan. Demasiados. Tequilas. Demasiada. Noche. Risas-risas. Regresan al burlesque, jalan a Steve. Déjalo, al rato regresa, no tiene a dónde ir. Corre que corre que corre. Busca. No encuentra. Ken se detiene, cansado, agitado. Pulmones horas extras. Su mundo reducido a un punto insignificante. Carol: ojos verdes, manos pequeñas. Por tu amor yo daría la vida, ¿qué no lo sabes? Ella le dijo que, le dijo que. No recuerda lo que ella le dijo que. Un niño. Un niño se acerca y le ofrece unas rosas. Así, unas rosas. Para tu novia, le dice en un inglés perfecto. Ken le dice No, no, vete. Niño insiste. Para tu novia, para tu novia. Ken suspira. El precio le parece excesivo para unas rosas inútiles. No regatea. Está bien, está bien. Esculca bolsillos; en el fondo: billetes. Paga y el niño se va lejos, se va feliz. Ken recargado en una pared. El piso sucio. ¿Nunca lo limpian? Gira que gira que gira. Contempla las flores: un color rojo, intenso, profundo como ese lugar en el mar donde todos los barcos... ¿cómo era? Camina de regreso al burlesque. No tiene otro lugar a dónde ir.

El gran preténder

a Francisco Mendoza
y Francisco Morales

El Barrio es el Barrio, socio, y el Barrio se respeta. El que no lo respeta hasta ahí llegó: si es cholo
se quemó con la raza, si no es cholo lo madreamos
macizo.

1

El Saico no está, el Mueras no está, el Chemo no está.

Se sabe: la raza de hoy ya no es tan desmadrosa, la raza ya no se divierte, la raza no la pasa bien como antes. Dicen los batos de entonces que ya están viejos para esas ondas, que ya no le hacen al desmóder, pero la neta es que estuvo dura la chinga. Los morros lo saben. Por eso los morros se juntan en la misma esquina donde se reunían el Saico, el Mueras, el Chemo y el resto de la clica para hablar de los rucos, los cholos viejos, los que se fueron, los que se quedaron. Y quién sabe qué tanto de lo que cuentan los morros fue cierto, qué tanto inventado. La única neta es que el Saico era el bato más felón del Barrio, ¿o no? Tú ibas al taller donde jalaba, y si tenías algún problema (que si buscabas un toque, que si querías chingarte a un bato, que si te urgía una feria...) el mero Saico era quien te hacía el paro.

2

El Saico trabaja de mecánico y es precisamente su crónico olor a gasolina y aceite quemado lo que seduce a las morras del Barrio.

Está cargado de dulces palabras y buenos sentimientos. Si le agrada una morra, la detiene en seco y le dice: «¿Tons qué, mija, eres de aquí o te rajas?»

Sólo bebe cerveza Tecate en caguama. Considera que todas las demás son agua de jícama.

Sólo come atún cuando el bote señala con claridad que fue procesado en Ensenada o El Sauzal, Baja California.

No es alcohólico; se encuentra en los bordes del alcoholismo como en Tijuana todomundo se encuentra en el borde deste nuestro país tricolor.

No saluda a Emigrados Piojos. «Batos que jalan legalmente en Estados Unidos y que vienen a presumir su feria y sus ranflas último modelo, compradas a crédito, y luego no se mochan con las cervezas».

Odia a los chilangos que se estacionan sobre las banquetas, los que se pasan los altos, los que presumen que son chilangos hablándole en inglés.

Odia a los choferes de la Cocacola desde que uno pasó por su calle y, sin ninguna consideración, pisó el acelerador y estuvo a punto de atropellarlo. El Saico se vio en la obligación de tumbarle los dientes con una cadena de tiempo.

Tiene una esposa que se llama la China, simpática y gordita, que ahora lo trata como basura. En las mañanas con frecuencia sale de su casa una voz estruendosa: «¡Ya levántate, pinche güevón!»

Piensa pasar su vida en el Barrio. El resto del mundo se marchó a la luna junto con los astronautas gringos en 1969.

No tiene oficina. Se le puede encontrar de diez de la mañana a seis de la tarde en el taller del Pocho y de seis quince a dos de la mañana, con el resto de la clica, en la esquina que todomundo conoce. Ahí cualquier doncella en peligro puede pedir su auxilio, sólo que mucho cuidado: ella-se-tiene-que-reportar.

Su filosofía de la vida: «El que no pistea anda mal; al que no le gustan las viejas anda mal; el que no escucha a los Platters anda mal».

Prefiere la rola *Smoke gets in your eyes*, pero él es *The great pretender*.

Aunque se clava con los Platters, su erudición musical de *oldies but goodies* es tal que su fama se extiende por toda la ciudad y por algunos barrios californianos. Dicen que es autor (a la sorda) de los primeros volúmenes de *Barrio Music*.

84

No es un bato feliz. Se acerca a la felicidad como otros se acercan al futbol los domingos. La disfruta, le da importancia, pero sabe que el lunes se tiene que levantar a jalar en el taller.

3

Ya se acabó, comentan los morros.

El Saico no está, el Mueras no está, el Chemo no está.

Nada es lo mismo.

Se llevaron a culpables, a inocentes; se los chingaron, les valió madre.

La juda, la chota, la placa.

Por eso el barrio ya no es el barrio.

Por eso la raza ya no es la raza.

Por eso los morros se juntan en la esquina, frente a los Licores Corona, y hablan de aquellos tiempos y dicen, aseguran, que nunca volverá a suceder.

Por eso.

4

Un borlo en la casa del Chemo.

Ahí está la raza del Barrio. Los batos y sus rucas bailando rolitas oldis. El Saico está sentado, agarrando su cura, mirando a la gente.

–Vamos a bailar –le dice la China.

El Saico no se mueve. Enciende uno de sus Faros como si fuera Belmondo en *Sin aliento*. De esa forma lo explica el Pancho porque es un ruco que le gusta hablar de cine y porque siempre anda diciendo cosas así. El Saico nunca ha visto a Belmondo, sabe un poco de Pedro Armendáriz y eso porque dicen que se parecía a su jefe. Si no, pregúntale. El humo de su cigarro escapa de sus pulmones formando círculos perfectos.

–Vamos a bailar –insiste la China.

Tanto pinche año y todavía no aprende: el Saico sólo baila las rolas de Los Platters. Ella lo sabe. El Saico sólo escucha a los Platters. La demás música no tiene sentido. Nadie lo mueve. Él es el Gran Preténder.

Oh yes, I'm the great pretender,
pretending that I'm doing well.
My need is such, I pretend too much.
I'm lonely but no one can tell.

Qué onda, ¿te acuerdas de los Platters?

Simón, órale. *Only you, Smoke gets in your eyes, The magic touch.* El Saico recuerda a una morra que conoció hace unos años. Se la cogió en el viejo Chevy 57 de su carnal. La ranfla estaba estacionada, descompuesta, quietecita y bien arreglada para cogerse a las rucas. Esa morra fue distinta, me cae, y no por el buen jale que hacía, nel, eso es aparte. Ella le dejó al Saico un grato sentimiento que lo hizo sonreír, simón, sonreír y sentirse bien durante todo el día, durante toda la semana, durante todo el mes.

Los Platters, carnal, ¿me entiendes?

–Vamos a bailar –le dice la China sólo por chingar.

El Saico permanece sentado. Nada lo mueve.

5

La China: su esposa su waifa su jaina su esquina.
Su ruca, su morra, su nicho, su queso, su allá
voy, su de aquí soy, su torta, su estribo, su tierna
melcocha, su media naranja, su castigo, su misión
en la tierra, su rancho, su ajúa, su acá, su bien terre-
nal, su gestión, su obra, su casa grande, su cobija
eléctrica, su cachora al sol, su requinto tristón, su rolita oldi, su mejilla sudada, su cementerio, su beibi,
su primera dama, su necesidad, su desdén, su ur-
gencia médica, su carestía, su ya no, su cómo no, su
otra vez, su no me jodas, su pensión, su fin, su cár-
cel, su no sé qué.
La China: su esposa su waifa su jaina su esquina.

6

Aliviánese, mi Saico. Qué onda con usté, qué rollo. ¿No eres mi bato, no soy tu ruca? La primera vez, ¿te acuerdas? Hace cinco años que te guaché: ahí tabas parado con tu clica en el borlo de mi prima la Carlota, tus mejores tramos, tus mejores cacles, el chalequito, la loción. Olías re suaaaave, mi Saico, tu greña brillosa, muy acá, con tu piochita y tu mostacho crecidito. La Carlota y las demás rucas me decían que nomás me guachabas a mí, que no había otra ruca en el mundo. Y yo me hacía del rogar. Les decía: nel, con ese bato nel, ese bato anda con todas, nel. ¿Te acuerdas, pinche Saico? Te acercaste y qué onda, mija. Pos qué onda. Aquí nomás. Y tú, ¿qué pedo? Nanais. Y me jalaste de la mano como si no hubiera bronca, como si supieras que yo no la haría de tos. Me apretaste toda la noche, al tiro, chingón, bien prendido, despacio, muy despacito, una rola de los Platters, otra rola de los Platters. Tu forma de bailar, pasito a pasito, sin mover mucho los pies. Me decías cosas chingonas que me entraron al oído y que todavía no se salen, neta, y que de vez en cuando –al guacharte llegar del jale o en las mañanas, rolado junto a mí, o ahorita mismo, los dos sentados– aparecen suaves y me hacen sentir igual que antes, cuando nos conocimos. Y era esta misma rola que estamos oyendo, la misma rola de hace cinco años. ¿Soy todavía tu jaina, pinche Saico? ¿Eres todavía el bato machín de la colonia, el mero mero de la China?

7

Estos son los tesoros del Saico, guardados desde hace un chingo debajo de su cama:

1. Una cadena de tiempo de una ranfla modelo 62.
2. Unos viejos cacles que le heredó su jefe.
3. Una foto autografiada del campeón Alfonso Zamora.

Se encuentran guardados en una caja que nadie puede tocar. Nadie es la China, quién más.

1. Era la cadena de tiempo con la que le atravesó la cara al Jeremías.
2. Era el único par de cacles que usó su papá.
3. Era la foto del campeón dedicada para la Betty «con mucho cariño».

La China sabe muy bien que esa caja no se puede tocar. La mueve de vez en cuando para barrer debajo de la cama; luego la pone en su lugar. Ella no se clava con esas ondas. Entiende que los batos necesitan un lugar para esconder sus cosas de hombres, aunque sean pendejadas.

1. Le decían el Jere, a veces le decían el Millas; era un bato bravucón. El Saico no era nadie y se llamaba José Arnulfo. Todos los días llegaba de la escuela y salía al mercado por el mandado de su mamá. Estaba morro. Pocas veces se ponía a pistear con la raza, y si lo hacía en poco rato se podía escuchar la voz de su jefa gritándo ¡Josearnulfooooo! Y corría a su casa para ver qué onda. Era un morro calmado. Pero el Millas no respetaba, y está mal visto que un cholo no respete a la raza de su barrio, me cae. Un cholo no anda buscando broncas aunque no le saca cuando anda una por ahí. Ésta es la neta. Entonces el Millas se metió con José Arnulfo, se lo quiso chingar, darle carrilla, tratarlo de pendejo. Lo empujó, le dijo puto, le dijo güey. Y el José Arnulfo no decía palabra, no se quejaba. Parecía como si le valiera, me cae. Hasta pensamos quera sacatón. Pero no era así. El bato dejó que el resorte se estirara y se estirara hasta que tronó, lo escuchamos tronar, así, dentro de su cabeza. Y ese día, sin que nadie lo esperara (ya estuvo bueno, ya me cansaste), el resorte tronó bien gacho y José Arnulfo agarró lo primero que encontró a la mano y esa cadena de tiempo se estrelló tres, cuatro, cinco veces en la cara del Jeremías, luego patadas en la panza y en las costillas y el bato en el

suelo, y chingazos, más chingazos hasta que le dijimos: calmado, socio, calmado, carnal, yastuvo, deje algo pa más al rato, qué pues, se está poniendo usté muy saico, calmado, ése. Y hasta la fecha el Jeremías anda de baboso, de menso, tartamudo, sin conseguir jale, perdido en las esquinas del Barrio. Y de ahí que José Arnulfo es el Saico y que nadie le diga otro nombre porque ya sabrá lo que le pasa.

2. No recuerda a su papá con una cara ni con unas manos ni caminando por la calle ni llegando tarde a la casa, nel. Cuando se acuerda, su jefe es una cancioncita triste de Javier Solís que sonaba durante el desayuno. ¿Cuál canción? Quiénsabe. Una; todas. En la casa, su jefe era una presencia que ya no; una presencia que podía tener el rostro de Pedro Armendáriz. Su jefa no le habla de él. Pa qué. El Saico tampoco le pregunta. Los viejos que lo conocieron todavía andan por ahí, rucotes, borrachotes. A ellos tampoco les pregunta. Su jefe era su jefe, así de sencillo: el aroma del tabaco, las rolas de Javier Solís y los viejos cacles que llevó puestos a su jale hasta el final.

3. Betty apareció en el taller con su carro del año para que lo revisara el Saico. Era la única vieja con ranfla nueva que vivía a menos de un kilómetro del Barrio. Su jefe era narco (en un tiempo cuando ser narco no era tan acá), eso no es novedad; aunque la jugaba como dueño de licorerías.

La Betty pudo haber llevado el carro a la agencia en el Otro Saite, donde lo compró; pero quería con el Saicorrón, el bato le pasaba bastante y la Betty estaba tan chula como puede estarlo cualquier hija de narco; es decir: el carro y unos lentes oscuros la hacían verse mejor. Era la única morra que el Saico no pelaba. Y ella le mandaba obsequios, le enviaba recados con otras viejas y le dedicaba rolas en el programa Complacencias de la XEC. El Saico aceptaba los regalos, rompía los mensajes y se sorprendía por el mal gusto musical de la morra: puro José José, puro Julio Iglesias, puro Camilo Sesto. Chaaale. Cuando la Betty llegó con su ranflón del año para impresionar al Saico, éste le dijo que no había nada en el mundo mejor que los Ford Galaxie. Los carros europeos son una mierda. Le recomendó que lo cambiara y conectó de nuevo la tapa de una de las bujías que seguramente ella misma había desconectado.

De pilón, sin que ella se diera cuenta, le robó una foto autografiada del campeón Alfonso Zamora, que recientemente había obtenido en Los Ángeles el título de la WBA.

«Por una noche inolvidable
para mi amiga Betty
con mucho cariño.»

8

Violaron a la Cristina.
Luego la madrearon todita.
Después la amenazaron.
Le rompieron su vestido.
La dejaron moreteada.
La Cristina.
Por piruja. Por andar de araña.
Y ella no dice quién.
Y sus jefes la volvieron a madrear.
Su jefe quería correrla de su chante.
Eso está mal, despúes de que se la chingaron, eso está mal.

Ella no dice quién, ése, porque el güey que se la chingó dice que va a regresar y ella le tiene miedo, está muy paniqueada. Dice que es un gandalla de otro barrio, un bato muy calote, ése, dice que es un cabrón. Quería con ella pero el bato está muy pirata, me cae. Entonces él la subió a su ranfla y ahí mismo se la chingó. Luego la tiró en su cantona, la dejó tirada pa que sus papás la encontraran.

Y resulta que el bato no era cholo.

No me chingues.

Un bato crema, ése, muy de escuelita, yúnior, tú sabes. De tacuche, muy perfumadito, ranfla del año, tú sabes.

Un mamón.

Un puto.

Simón.

¿Qué andaba haciendo con una morra del Barrio?

Por piruja, eso le pasa por araña.

El Barrio se respeta, socio.

Simón.

9

La placa no supo diferenciar. Se llevaron a raza de éste y otros barrios. A los felones, a los gandallas y a los calmados. Los cholos siempre pagan, culpables o no. La chota se cobra con ellos. Les gusta entrar a los barrios cuando están bien respaldados y traen sus fuscotas y viene la juda con ellos. Todomundo al bote, hijos de la chingada. Todomundo tiene que soltar una feria porque si no ya saben que les va mal, se los chingan.

Un cholo más, un cholo menos, dice la chota.

Les vale madre.

10

Es uno de los pocos rucos que visita el Saico.

Se llama Pancho, es de Tecate, tiene cincuenta y tantos años y recorre la ciudad tomando notas que apunta en una libreta.

Van caminando por la calle, le dice al Saico:

«Ves esa muchacha, loco, ella es poesía. Ves ese perro corriendo, ahí va un cuento.»

Si cualquier otro bato se lo dijera, me cae que se ganaría un cadenazo en la cara. Por mamón.

En este caso el Saico permanece callado.

«Tecate es el centro del universo, loco.»

Llegan al Blue Note, se toman diecisiete cervezas y luego se les acaba la feria. El Saico se pone sentimental.

–Usted lo conoció, usted dígame cómo era.

–La cerveza es de Tecate, loco. Guacha bien este bote. Este cerro que ves aquí es el Cuchumá. Tecate, loco. El cielo, el paraíso, el edén, como quieras llamarle. ¿Nunca has visto al Cuchumá por la mañana, cuando está haciendo frío, cuando la neblina lo hace parecer el monte Olimpo?

–Dígame cómo era mi jefe.

No hay una sola pregunta en el mundo que saque de onda al Pancho. Se sabe la respuesta o no. Si no se la sabe, la respuesta de todos modos le llega.

–¿Pa qué quieres saber, loco? Tu jefe ya no está aquí, los ausentes ya no volverán, ni llamándolos.

–Usted dígame lo que sabe.

El Pancho cavila, apunta algo en su libreta. Mira a unas parejas que están bailando en la pista, iluminadas de rojo. Entra al baño, orina. Escribe en una pared con un plumón negro: «Pancho was here», «Tecate rifa konzafoz», «César Vallejo was also here», «Puto el que no lea Trilce» y «¡Odumodneurtse!». Regresa a su lugar. Mira la cara sentimental del Saico. Cavila de nuevo. Pasan tres horas.

–¿Pa qué quieres saber?

–Usted dígame lo que sabe –repite el Saico. Y me cae que si fuera otro bato el que lo hiciera repetir, se ganaría un cadenazo en la cara. Por mamón.

–¿Ya guachaste la película que están pasando en el Bujazán, loco?

El Pancho siempre sale hablando de cine. Simón, simón. «Una muvi rete chafa», piensa el Saico pero no lo dice.

–Pues tu jefe peleó en la guerra, loco. ¿Me entiendes? Tu jefe mató a muchos, fue un machín y recibió condecoraciones. Tímido y callado, fortachón, prudente, manejaba el arco y la flecha como si fuera un indio de Hollywood. Experto en explosivos, chingón. Regresó a su casa y luego luego la raza le empezó a cagar el palo. Y luego mataron a su compita del alma. Y él se encabronó. ¿Cómo iba a permitir ese atraco? La raza lo acusó de loco, ellos eran gringos, eran racistas, él era un machín. Acabó con el pueblo, con la policía, con la gente gacha del pueblo. Era un gran tipo tu jefe, neta que sí. Era un chingón.

Algunas parejas bailan cerca del Pancho y del Saico como mariposas monarcas, extinguiéndose al pasar del tiempo.

–¿Quieres saber más?

Salen del Blue Note. Los carros pasan rayando con rojo la oscuridad. Algunos gringos recorren la avenida Revolución, haciendo escándalo. Gringas morritas enseñan su piernas descoloridas y ríen y ríen y ríen y ríen.

–César Vallejo, loco. Lo demás vale madre.

Un gringo enorme, negro, corretea a una güerita. La alcanza, ella grita. Se abrazan. Beso largo, laaaaaargo. Y desaparecen en la noche.

11

Jueves, día de lluvia. Son las tres de la tarde y las calles están solas. Agua cayendo sobre el Barrio. Los cholos trabajando. Los vagos metidos en sus chantes, dormidos o con sus viejas, haciéndoles la vida pesada. Los cholos trabajadores regresan hasta más tarde.

Un arroyo atraviesa la calle. Algunos morritos salen sin que sus jefas se den cuenta, hacen barcos de papel. Los barcos se deslizan por el arroyo, entre las piedras, entre el lodo; y si tienes un soldadito de plástico, lo metes en el barco; y si tienes una canica, y el barco aguanta, metes la canica. El barco se aleja por los rápidos que se forman cuesta abajo, a veces se detiene, a veces avanza. El soldado se tambalea, recupera el equilibrio. Algunos resisten hasta el final del arroyo, hasta la avenida pavimentada; otros se caen, se ahogan, su vida por la patria. El soldadito muere.

Cuando las calles del Barrio se ponen así, no hay ninguna ranfla que pueda entrar. Se resbalan, se atascan. Los cholos cansados, que apenas regresan del jale, estacionan sus ranflas en las orillas, junto a la casa del Pancho. Los cholos ahí se quedan largo rato, mientras pasa la lluvia, pisteando, cotorreando.

Son las tres y media de la tarde y las cholas andan en sus casas, ayudando a sus jefas en el quehacer; o andan trabajando en la maquila; o están ahí, jetonas, las que no les gusta jalar. Otras andan en la escuela, pero son pocas. Otras quiénsabe dónde andan; de seguro con su bato, tirando el rol.

Aguas. Que no le caiga el jefe si la morra anda con un bato, que no la agarre con un cabrón porque le llueve una madriza, como a la Cristina, me cae, le llueven golpes y gritos.

12

Es que Fabricia es la mejor, neta.

Es que Fabricia suena bonito como un motor bien afinado.

Es que Fabricia se acerca, con su greña larga, cepillada miles de veces por la mañana, y susurra palabras que pocos entienden, como en otra lengua, como en un idioma inventado, como qué te diré...

Es que Fabricia tiene unos dieciocho años que se respiran cuando te acercas a ella, que se retienen en los pulmones y se saborean hasta que llegan al cerebro, hasta que te ponen los ojos colorados colorados y luego salen perfumando el ambiente, haciéndote sentir bien acá, bien rico, bien bien.

Es que Fabricia es una de esas morras que no daría la vida por un amor, se le nota. No obstante, ese Saico está clavado. Piensa en ella por la mañana y quisiera ser el cepillo que mil veces pasa por su cabello. Piensa en ella por la tarde y quisiera ser sus zapatos para sentir sus pies sobre la cara. Piensa en ella por la noche y quisiera ser su cobija, sus sábanas, su almohada. Pero el miércoles, cuando va con el

Floyd para que le haga un tatú en el pecho, del lado izquierdo (un corazón colorado, sangrante, atravesado por una filera), el nombre que solicita es el de la China, con sus cinco letras y en el punto de la i una gotita de sangre.

13

En el Barrio no hay jefes. En el Barrio somos carnales, homeboys, raza de acá. Pero el Saico es el más felón y esto se sabe. No se comenta, simplemente se sabe.

Ahí estamos con el Saico y esta vez somos más, está la clica completa. Hasta los rucos están ahí. Hasta los mandilones, los que no salen porque andan con sus viejas. Hasta ellos.

—¿Tons qué, socio? —pregunta el Lute.

El Saico no es de palabras. Él tiene su verbo y lo usa cuando es necesario. Esta vez decide guardar silencio.

—Es que ta cabrón lo que le hicieron a la Cristina, me cae. Será pirujona y lo que usted quiera, pero ta cabrón.

La raza está de acuerdo.

—Yo sé quién fue —dice el Mueras—, yo sé quién se la chingó y sé dónde vive y sé con quién anda y son una bola de mamones, cremas, pendejos.

Los cholos están reunidos en el borlo del Chemo, y se siente algo que arde. El calor se levanta con chispas y truena como leña vieja, y las chispas se elevan al cielo hasta que desaparecen.

Nadie anda borracho, nadie anda pasado, todavía no: así de cabrón está el asunto.

Pasa una patrulla, los mira desde el otro lado de la calle. Ahí se queda un rato, tanteando. Los chotas miran el fuego, el calor, las chispas. A ver: que se bajen, que salgan de la patrulla si son tan chingones, que se acerquen: a ver. Ellos saben cuándo quedarse quietos. Pasan unos momentos y la patrulla se larga. Pinches chotas.

—¿Tons qué socio?

El Saico no habla. Abre la boca y un círculo de humo se escapa de sus pulmones, luego otro más grande, luego otro.

Y el silencio.

14

Es domingo. La China sale tempra de su casa.
Se va con la Carlota pal centro, nomás pa ver qué
miran, nomás pa tirar el rol, quitarse lo aburrido.
La China y la Carlota parecen carnalas, gorditas y
chaparras; caminan muy juntas. Se meten en las
tiendas y agarran cura. La raza de seguridad, la que
cuida las tiendas, se les queda mirando. Hey, qué
onda: como si fueran rateras, como si fueran a ro-
barse algo.

–Pinche raza.

Una vez la China se robó un delineador de
ojos. Nada más de puro chéiser, nada más para que
no estuvieran chingándola ni acusándola con la
mirada. Porque si algo cae mal es que las vigilen
como si fueran ladronas cuando ellas no se roban
ni madre.

Se meten a las tortas El Turco y piden dos de
lomo y unas sodas de naranja.

La Carlota saca los tabacos y al rato ya está con-
tando los chistes peladotes que escucha de sus carnales y que hacen reír tanto a la China.

Luego la Carlota se pone seria.

—Es que no sé cómo decírtelo, manita.

Simón, se lo dice, a la brava. Ella es su prima y es como su carnala y no se anda con rodeos: pos que la Sufris miró al Saico con la vieja esa, la Fabricia, me cae, por Diosito que ella me lo dijo, me cae, y pos yo no quería decírtelo, manita; pero así es la onda. Lo miró frente a su casa: el cabrón muy descarado, le valió madre. Sabía que la Sufris lo guachaba, sabía que miba decir, sabía que yo tiba decir y así está el pedo. ¿Qué vas hacer, manita?

Como si le hubieran tirado una piedra a la cara, me cae.

—Pos no sé —dice la China.

Y de veras no sabe. A todas las viejas les pasa este desmadre, neta. Los batos siempre andan con sus mamadas. Y una vive con el Saico y sabe que el Saico no es un santito; pero una nunca se prepara para estos rollos y menos como para pensarla desde antes y saber si le va a gritar a su bato o se va a madrear a la pinche vieja, y seguro que va a hacer las dos cosas; por lo pronto quiénsabe.

—No sé —repite la China.

Sonríe un poco, un poquito nada más, como para alivianar el asunto. En realidad se pone triste como una ciruela pasa, se arruga por dentro. Se le cae el corazón y se va rodando por la banqueta. Y la Carlota simplemente no sabe ya qué hacer con ella.

15

Así es el pedo: si se muere un cholo nadie la hace de tos.

Si se muere otro bato, un yúnior, un influyente; entonces sí, ¿verdad?, entonces chínguense a los cholos, los cholos son culpables, acaben con los cholos.

No toda la raza es gandalla, me cae. Hay cholos calmados que andan con su ropa, con su finta, que no hacen daño. Se echan unos pistos, cotorrean, caminan por la calle, no molestan. A ésos también se los llevaron. A ésos tampoco respetaron. Es la represión, me cae, la pinchi represión que no deja vivir.

En su brazo derecho, desde hace tres años, está tatuada una Virgen de Guadalupe bien pirata, bien mal hecha, que le hicieron al Saico antes de que conociera al Floyd.

Esa virgencita ya lo tiene hasta la madre y recientemente ha pensado quitársela con una lijadora eléctrica.

Un jale es un jale.

Le decían el Rigo y andaba con muchas viejas del Barrio. Era su única virtud y su único pecado. No era borracho, no era grifo, no era lacra. Era uno de esos batos que hablan y hablan y aburren un chingo, pero que saben hacerla con las morras. El Saico lo conocía como a toda la raza del Barrio, no era homeboy, no era de la clica pero era de por ahí. Trabajaba de carrocero en el Otro Saite. Se levantaba cada mañana a las cinco, hacía cola para cruzar la línea, enseñaba su pasaporte, camellaba todo el santo día y regresaba como a las ocho de la noche aún con fuerzas para meterse con dos o tres viejas.

Era bato, ni modo de que se aguantara las ganas.

Ella (sagitario) quería que el Saico lo golpeara.

Cosa rara ver a una morra en el taller, cotorreando con un mecánico sobre rollos que nada tenían que ver con la reparación de un motor. Ella quería que el Saico le hiciera un favor. Se lo pidió así, serenita. Cargaba en la mano izquierda un tatuaje con el nombre del Rigo, y unas gotitas como lágrimas.

—Ya sabes el precio —le dijo el Saico.

—Ni pedo.

Le pagó así, igual de serenita, en el viejo Chevrolet 57 que había sido de su carnal. Ni modo de no cumplirle.

—Qué onda, Rigo.

—Qué onda, mi Saico, ¿qué lo trai por estos rumbos?

—Su vieja quiere que me lo chingue, socio, por cabrón.

—Qué pues, Saiquito, yo qué le hice a usted.

Un jale es un jale.

Uno tiene que tener palabra, es cuestión de honor y de ética profesional. La morra ya pagó. Uno no puede quedar mal porque luego se corre la voz de que el Saico es sacatón y eso está mal. El Saico no le saca. Es un felón.

La cadena de tiempo atravesó la cara del Rigo con la gracia de una bailarina de strip-tease. El Rigo se fue al suelo y chupó tierra.

El Saico no lo golpeó más.

—Y aliviánese para la otra, compita.

—Sincho, no hay pedo —le dijo el Rigo con dificultad, escupiendo sangre.

Luego se levantó, se sacudió la ropa, notó que tenía un diente flojo y se fue con las gemelitas Maritza y Rebe, ambas enfermeras, que por suerte lo estaban esperando.

18

Esto lo cuenta el Pancho:

En uno de los muros, loco, afuera del taller, hay un placazo gandallón que dice:

SAICO PSICO ZAIKO • TJ RIFA Y KE

Un par de judiciales en un carro nuevo, sin placas, vidrios ahumados. Uno de ellos (tacuche y corbata) señala el placazo. Fuma cigarros Benson.

Salen del carro, entran al taller, se dicen «pareja». Sonríen al mismo tiempo, caminan con el mismo número de pasos. Uno de ellos pregunta:

–¿Quién es el Saico?

Kirk Douglas fue *Spartacus* en un película chingona, loco. ¿Te acuerdas?

La fusca del judicial se asoma entre su saco, coquetona, hablando sola, diciéndose: «¿cuál destos cholos me voy a echar primero?»

El Saico, debajo de un carro, aprieta su fiel cadena de tiempo.

Kirk Douglas, con barbilla agujerada, era un gladiador rebelde que formó un ejército contra los gandallas romanos.

El Pocho está lavando un sigüeñal.

–¿Quién quiere saber? –responde.

Los judiciales no dejan de sonreír, uno trae un palillo entre los dientes; el otro contesta:

–Violaron a una chamaca por aquí cerca, andamos buscando testigos, recogiendo sospechosos.

Tony Curtis también actuó en *Spartacus*.

Hay tres mecánicos en el taller, además del patrón. El Saico revisa la trasmisión del Ford Galaxie que a veces usa para tirar el rol. Necesita un poco de aceite. Le echa una mirada a su fiel llave nuevedieciséis y otra a los judiciales.

Uno de ellos regresa a su carro y habla por su radio trasmisor, sin quitar la vista del taller. El de tacuche no se mueve, incómodo por la ausencia de su pareja y la mirada de los mecánicos.

El Lute y el Mueras trabajan sobre un Buick, placas americanas. Está desbielado.

Douglas mata a Curtis (¡a su compita, loco!), no sin antes asegurarle que es mejor morir así que sufrir el terrible suplicio de la crucifixión.

–Aquí no hay violadores –dice el Pocho–. Todos mis mecánicos son buenos muchachos.

Jean Simmons, Varinia, era la heroína de la película.

La China es la esposa del Saico, ya lo sabes, y también es una heroína, me cae.

–¿Quién de ustedes es el Saico?

Cuando los romanos gandallas agarraron a los gladiadores buena onda, los amontonaron en un cerro y les preguntaron: «¿Quién es Spartacus?» Los gladiadores dijeron: «Yo soy Spartacus, yo soy Spartacus, yo soy Spartacus, yo soy Spartacus, yo soy Spartacus, yo soy Spartacus, yo soy Spartacus...».

El Saico sale debajo del carro, se sacude las manos y dice:

–Yo soy.

Se acercan el Lute y el Mueras. Ellos dicen:

–Yo soy el Saico.

El Pocho dice:

–Yo soy.

Los judiciales se sacan de onda, caminan con el mismo paso, platican entre ellos. Levantan el cigarro al mismo tiempo y aspiran. Ambos soplan el humo.

Kirk Douglas, los gladiadores, el Lute, el Mueras, el Pocho y el Saico, se suben al carro de los judiciales romanos.

El taller se queda abierto, loco. Nadie menciona el terrible suplicio de la crucifixión.

De repente la familia decidió irse al norte.

De repente la Chinita estaba en otra ciudad, sin amigos, sin saber qué onda, nada más con su prima la Carlotilla en una escuela llena de muchachos que no les hacían caso.

De repente las primas con sus ojos abiertos miraron por primera vez el Barrio. Caminaron juntas al mercado, caminaron juntas a la tortillería.

En la secundaria se les quitó lo ranchero. Comenzaron a sentirse más alivianadas, sabían más del mundo. Vieron que las cholas del barrio traían buena onda. Ellas también se hicieron cholas. Cosieron su ropa, se pintaron la cara, por qué no. Había más respeto. Había más dignidad en ese rollo que andar sin razón por la vida. Ahí conocieron a la Sufris, ahí conocieron a la Smiley, ahí conocieron a la Barby, a la Susi, a la Foi, y eran buenas rucas todas ellas, eran compas que nunca se negaban a hacerte un favor.

Algunos cholos eran bien macizos, se portaban acá, suave con ellas, que si querían bailar, respetuosos los batos aunque no faltaba alguno que quisiera pasarse de listo.

De repente la China y la Carlota estaban en su ambiente.

Cuando Fabricia camina no hay otra cosa que los cholos prefieran mirar. Es muy sabrosa, ¿cómo te diré? Delgadita, larga, pantalones harto ajustados. Sabrosa sabrosa. Y por supuesto las demás cholas no la pelan, les cae de madres porque todos sus batos quieren con ella. Todos desean llevársela a un lugar oscuro y prometerle asuntos que no les prometen a ellas, cosas que ni siquiera van a cumplir, pero que tendrían a Fabricia tan contenta que abriría las piernas y soltaría lo suyo: todo aquello que los cholos imaginan tibio y sabroso.

Lo único gacho es que la Fabricia es bien apretada: no habla ni se junta con nadie, sus compas son raza de otros barrios. Ella pasa enfrente de los cholos y se para en la esquina para esperar el camión. Los cholos no pierden el tiempo y de volada le hablan cosas de amor: hey, mamacita, ps ps, chula, mi reina, preciosa, uf uf, aquí estoy.

Fabricia los mira con un poco de enfado y otro poco de indiferencia. Ellos no se acercan, guardan su distancia. El único atrevido es el Saico. Se para junto a ella y se sube al mismo camión.

–Y ¿qué pasión con la China?, ése.

–Seeeepa. Dicen que después del desmadre siguió trabajando en la maquila, luego se fue pal Otro Saite y después se arranó con un emigrado. Ahora anda jalando por allá y nunca regresa al Barrio.

–Pues a qué venir –comenta uno de los morros–. Ya no hay ni madres aquí.

–Me cae –dice otro.

–El Barrio como que ya no es el Barrio, tú sabes, se acabó el desmóder. Se acabó el pedo. Se apagó todo.

Y es que el Nicte-Ha es el lugar. No hay otro donde un cholo pueda estar a gusto con su jaina y su música. A gusto. Con la clica. Nomás cotorreando. A gusto. Las tardeadas son los sábados y ahí están los cholos y las cholas de todos los barrios.

Y si tienes compitas en otras colonias pues ahí es cuando los saludas.

Y si tienes alguna bronca con un güey de otro barrio, pues ahí es donde lo resuelves.

Y es que el Mareas, por ejemplo, le quitó su ruca al Pato. Se la agandalló gacho. La morra ni avisó. El Pato andaba muy prendido de su jaina y el Mareas es como más suave con las rucas, les tira su verbo y no es machín.

Y el Pato y la Yanis andaban juntos desde hace un chingo de tiempo.

Y el Pato ya se había madreado a la Yanis dos que tres veces. A ella como que si le gustaban las madrizas. No la hacía de tos. Como que si lo quería más y ya se hablaba de que se iban arranar, ya se hablaba de tener morritos y hasta creo que el

Pato compró el anillo, me cae, así de serio iba el rollo.

Y entonces llega el Mareas y como si fuera un mago, como si fuera un brujo, le avienta un conjuro a la Yanis y ella se olvida del Pato, me cae. El Mareas se la agandalla gacho. Ahora la Yanis clavadísima con el Mareas.

Y ahí están los tres en el Nicte-Ha.

Y el Pato, por supuesto, pedísimo, hastatrás, bien atizado desde que lo dejó la Yanis.

Y ella como si nada, bailando con el Mareas.

Y luego comienza la carrilla de la raza: que no se deje, pinche Pato; que qué pues; que chíngueselo, carnal; que aquí le hacemos el paro.

Y el Pato, claro, después de tanta carrilla, se acerca a los que están bailando, los separa, y le dice a la Yanis: «Quiero cotorrear contigo».

Y el Mareas pos ni modo de quedarse callado: «Hey, qué pues, socio, aliviánese».

Y entonces como que si la demás raza huele la bronca, y algunos se quitan y otros tratan de calmarlos; pero eso no funciona. Cuando el tiro está cantado pos no hay nada que hacer para remediarlo: uno se tiene que chingar al otro.

Y el Pato trae su filera, no duda en sacarla.

Y el Mareas también con su filera.

Y la Yanis, paniqueada, no le queda otra: como no es bravucona se pone a llorar, no sabe qué más.

Y ninguno que afloja.

Y la banda sigue tocando. Eran los Corazones Solitarios, por eso había tanta raza.

Y el asunto no dura mucho, nel. Se resuelve pronto porque llega la placa, porque la llaman los dueños del Nicte-Ha por el miedo que tienen de que los cholos desmadren su congal. Al Pato no le importa y se lanza contra el Mareas, dos tres cuatro piquetes hasta que el bato ya no se mueve y deja un chingo de sangre, una manchota en el piso.

Y los chotas se van encima del Pato. Se lo chingan con sus macanas, uno dos tres sobre el Pato.

Y así lo sacan, atolondrado y jodido, medio muerto. Se lo llevan arrastrando.

Y la raza dice: «Qué pues. ¿Pa qué joden tanto al Pato nomás por cobrarse la que le debía el otro güey?»

Y la chota sale rápido de ahí.

Y la tardeada termina media hora más temprano porque unos cholos encabronados comienzan a desmadrar el Nicte-Ha, se van sobre las mesas, sobre las sillas.

Y a mí se me hace que no dura abierto ese congal, pa mí que lo clausuran pronto, me cae.

23

Se sabía que la Cristina andaba con batos que no eran de la colonia. Se veían los carros finos que entraban al barrio, y los cholos nada más guachaban a la Cristina subirse perfumada, besar al bato como queriendo que la raza se diera cuenta, luego largarse y no volver hasta la medianoche. Cada vez llegaba más tarde a su casa y se oían los gritos de sus jefes: que qué pensaba ella, que si quería vivir sola, que si ya se creía muy grandecita. La Cristina contestaba, también gritando, que la dejaran en paz, que ella buscaba una mejor vida, que si ellos querían verla de chola, de vaga, sin futuro…

Al día siguiente, ella preguntaba por la China para que le ayudara a coser un vestido o arreglar un pantalón. Le contaba chismes, cotorreaban como viejas amigas.

Al rato ya no les hablaba. La Cristina no las conocía cuando llegaban algunas amigas de su trabajo a visitarla.

«Eso es cantar un tiro», pensaba la Carlota.

Habían decidido que tarde o temprano se la iban a chingar; pero nunca tuvieron tiempo de hacerlo.

En el Ford Galaxie los cholos andan tirando el rol.

Recorren la Constitución, la Revolución, la Madero, la Negrete, la Ocampo.

La ranfla anda lenta, lenta, paso a paso. El Saico saca el brazo por la ventana, la mano derecha bien prendida del gran volante. Cuando observa una morra grata, la infla de piropos, la maltrata con historias de amores breves y circunstanciales.

La ranfla: treinta centímetros separada del pavimento, bien ranita, diez millas por hora (o mucho mucho más, si es necesario), rines cromados, interiores y carrocería impecables, amortiguadores que suben y bajan a voluntad del conductor, sonido de alta fidelidad que arroja a los Platters sobre cualquier ingrato que se acerque.

Y al que no le guste, que se la trague.

Ford Galaxie: el mejor carro del mundo.

¿Cuántos cholos caben en una ranfla de ese tamaño?

Mejor ni preguntes.

La China: su esposa su guaifa su jaina su esquina.

No es difícil convencer a las demás. Fabricia no es muy querida por culera, presumida y pirujona; así que las rucas se reúnen sin dificultad. Se corre la voz: la China quiere chingársela, así de sencillo. Se juntan la Sufris, la Barbi, la Smiley, la Carlota, la Ruda, la Foi y la Susi.

La China explica y las otras comprenden.

Se pintan las uñas de negro.

El Johnny vive en San Diego con sus papás y estudia en Southwestern College. Es yúnior. Los domingos se la pasa en Tijuana. Viene a visitar a sus
amigos, a visitar a sus novias, a divertirse, a beber,
a lo que sea. Llega en un Ltd. Dispara tragos. Eructa. Habla de viejas: sus nalgas, sus tetas. Los amigos
se ríen. Dicen que es sobrino de no sé qué político
cabrón. Más bien, él lo dice: «Si tienen broncas con
la ley, con quien sea, yo se las puedo arreglar». El
lunes temprano regresa a San Diego. Si lo buscas,
no es difícil encontrarlo: los sábados, como a las
ocho, suele estar en la colonia Cacho, frente a la casa de Olivia.

El Ford Galaxie ronda la Cacho, los cholos saben lo que buscan.

«El Saico tiene un serio problema de autoridad». Eso le dijeron los profes a su jefecita para asustarla, para que lo sacara de la escuela y lo pusiera a trabajar.

Entonces el Saico se llamaba José Arnulfo y tenía un hermano que no era cholo. Un greñudo, seis años mayor que él, que andaba de bronca con la jefa porque llegaba muy noche, pasadísimo.

El Saico lo quería bastante, era su carnal, era chingón: le enseñó los Platters, lo llevó con las pirujas del coahuilazo. Su carnal las conocía de nombre: la Zuzzette, la despampanante Yazmín. Pero su jefecita lo echó de la casa por greñudo por chemo por grifo por pedo. Le dijo que ya no lo iba a estar manteniendo, por greñudo por vago por drogo, ya no lo quería en la cantona.

Igual que su carnal, José Arnulfo tiene un grueso problema de autoridad, lo dicen los profes que saben que es el hermano menor. Su jefecita se preocupa, le da remordimiento. Se la pasa varias noches sin dormir. Finalmente lo saca de la escuela y se lo encarga al Pocho para que lo meta de aprendiz en su taller.

Ella pasa sus noches rezando por su otro hijo, el greñudo que jamás regresó.

Cristina no se sentía a gusto con la cholada. Al principio jugaba a ser chola y era compa de la China y de toda la raza. Después ella encontró su onda fuera del Barrio. Buscó trabajo en un banco, comenzó a sentirse crema: se perfumaba, usaba zapatos de tacón. Agarraba esa onda, luego regresaba con las cholas. A las rucas no les pasaba que estuviera cambiando, como si no supiera lo que buscaba. O eres chola, o no lo eres, la onda no es complicada. Se lo dijeron: si eres chola te reportas con la raza, si no eres chola quédate en tu cantona y déjate de chingaderas, con nosotras no tienes nada que hacer.

Tijuaz-baja-califaz. Akí mero. Barrio 17. Y ke.

La banda estaba tocando esa rolita que dice:

Testiga de mi tristeza
luna llena plateada
con tu luz y tu magia
haz crecer nuestro amor.

Eran los Corazones Solitarios, por eso había tanta raza.

A veces el Saico se agüita. Le entra una pesadumbre que no le quita el pisto ni la mota ni las rucas ni los Platters.

Entonces agarra rumbo a la casa del Pancho.

La chante de ese ruco es un cuarto muy oscuro con paredes llenas de libros.

–César Vallejo, loco.

A veces están ahí los compas de Tecate: el Róber ques profe, el Gabo ques pintor y el Marco que trabaja en Teléfonos.

Ellos cuentan sus historias sobre los viejos y los morros. ¿Te acuerdas de éste, te acuerdas de aquél? El Saico es tijuanero. Los tecas son otra onda, quién los entiende.

–César Vallejo, loco.

En ocasiones llegan otros cholos: el Chemo, el Mueras, el Lute, el Chory. Empiezan a cagar el palo. Qué onda, Pancho, repórtese. Qué onda, Marco, role la yesca: saca-limpia-forja-prende-y-prexta.

El Pancho les habla de otros tiempos, de los pachucos (buenos tiempos cuando la raza sí era gruesa y no se andaba con pendejadas, lo único importante era tu jaina y tu ranfla, loco, lo demás podía pasar a tu lado y a ti no tenía por qué importarte, no era tu onda). Les habla del buen cine (Jean Paul Belmondo, Alain Delon, Warren Beatty, Montgomery Cliff) y del viejito-Vallejo-peruano-años-en-la-cárcel-buen-poeta-inventor-albañil. («Escribir es como construir un muro, loco, ladrillo por ladrillo.») Los cholos guardan un respetuoso silencio porque saben que el refri del Pancho está lleno de botes frondosos y caguas llenas de cerveza Tecate.

Luego el Pancho pone a los Platters.

Luego al Saico se le quita la pesadumbre.

Luego, cuando ya están hasta atrás, el Pancho saca, muy a la sorda, sus discos sumamente rayados de Los Cinco Latinos que son como los Platters pero en español y con voz de vieja.

Los botes y las caguamas se acaban puntuales a las tres de la mañana.

Alguien le sopló a la Fabricia. Se sabe porque ella nomás miró a las rucas y se echó a correr.

33

Nel, aquí ya no hay cholas. Hay unas que dicen ser cholas; pero nomás de la ropa pa fuera, tú sabes. Es todo. Voy pal barrio, voy pa la colonia, y nada. Las cholas o se casaron, o se fueron al Otro Saite, o están en la peni.

Aquí no hay cholas.

–Bájese de la ranfla, socio.

Olivia se asusta. El Johnny no sabe qué pedo. Mira al cholo grandote y pura madre que se va a bajar. Sube la ventana, intenta subirla; el Mueras lo agarra de la corbata y empieza a jalonearlo para sacarlo por la ventana. Adentro del Galaxie se observan los tenues naranjas de las bachas que se están consumiendo.

Olivia no sabe qué hacer. Primero se vuelve valiente, grita majaderías y trata de ayudar a su novio. Luego se vuelve cobarde, sale del carro, coriendo, y se mete a su casa. El Johnny se zafa, abre la guantera y lo inesperado: saca una fusca. Dos balazos en la panza del Mueras.

El carro arranca con el típico ruido de llantas quemando el pavimento. Los cholos se bajan coriendo y suben al Mueras (sus ojos abiertos abiertos, su respiración agitada).

Olivia de nuevo en la calle, su papá detrás de ella, en piyamas. Se encienden las luces de otras casas.

El Galaxie levanta cuarenta, cincuenta, por las calles pobladas de la Cacho. El Johnny busca la salida hacia el bulevar, maneja nervioso, golpea un poste, reversa, arranca. Trata de escapar; es inútil: los cholos lo alcanzan, le cierran el paso, golpe de carros. El Johnny se estampa contra una pared. Los cholos bajan. El Johnny intenta salirse de su carro. Correr, correr, lejos. Demasiado tarde. Movimientos veloces. Pistola en la mano, un disparo errado. Pistola en el suelo. Golpes sobre Johnny. Patadas. Cadenazos encendidos. Las fileras zumban. El calor, el calor de la sangre. ¿Está muerto? Me vale. Patadas. Golpes. Calor. ¿Se mueve? Patadas que son cadenas. Golpes que son fileras. Golpes que son certeros y fuertes y el calor que envuelve la noche por encima de todo. Ya es hora de irse. Raza, ya es hora de irse. ¿Lo dice el Saico? Sirenas. Sirenas en la distancia, aullando. Simón, el Saico dice que ya es hora de irse. Raza, raza, ya es hora.

El Galaxie sale de la Cacho a gran velocidad, se detiene en el primer semáforo rojo y entra con el resto de los carros a una marcha lenta sobre el bulevar.

El Nicte-Ha era el lugar. Ahí se hacían ondas machinas: cotorrear, agarrar cura. Ahí se pasaba bien el rato, me cae.

Luego el Nicte-Ha fue una pista de patines. Luego fue una maquiladora. Ahora está cerrado. No dejan entrar. Está cerrado. Ahora quiénsabe qué chingados es.

Las rucas no tardan en alcanzarla, la acorralan, y la China dice: «pos tú qué, tú qué, cabrona». La Fabricia se queda callada. No dice ni madres cuando le llueve la chinguiza. Le jalan la greña, la golpean, la estrujan, la patean. El negro de las uñas se marca en su brazos y mejillas.

Pobre Fabricia.

Tan chula que se veía, tan bien pintada que andaba, con sus mejores trapos como si fuera a un borlo. Las rucas le rompen la blusa, le sacan sangre de la nariz, la dejan moreteada. La China dice «Ya stuvo» y las rucas le paran. «Ya stuvo», y las rucas se alejan, se van a sus chantes. No se habla más del asunto.

Nadie se acerca a la Fabricia. La gente pasa, mira de lejos, la dejan solita. Ella no habla ni pide ayuda. Se levanta, se acomoda la ropa, como puede, y regresa cojeando a su cantona. Si había borlo, ella nunca llegó.

Fue demasiado argüende por un yúnior. Resulta que era un morro pesado, hijo de no sé quién, sobrino de un político, de un ruco gruexo. A partir de esa noche y durante seis meses, cada noche pasaban por el Barrio cinco carros nuevos, sin placas, patrullando.

Eran las tres de la mañana y se escuchaban los disparos. Tiroteaban sobre las casas, rompían los vidrios, asustaban a los niños. Redadas durante el día. Llegaba un cholo del trabajo y ahí estaban los judiciales para meterlo a la perrera y golpearlo. Las jefecitas preguntaban por sus hijos en el Ministerio Público, no se sabía de ellos. Unos tardaban hasta tres semanas en regresar. Volvían moreteados, flacos, jodidos. Los chotas, según ellos, no sabían nada del asunto. La prensa no se interesaba.

Del Saico, del Chemo y de otros, ya no se volvió a saber. Han pasado veinticinco años desde entonces.

Mi ruca no entiende esta onda de los batos. El otro día me dijo: «Uyuyuy, parece que te gusta más estar con la clica que conmigo». Las morras no comprenden, me cae. Le dije cómo estaba el rollo pero nomás no quiso agarrar la onda. Entiéndeme, le dije, con la clica se disfruta, se la pasa bien; los homeboys son tus compas macizos, son los meros meros cuando necesitas un paro. Entiéndeme, le dije, con las rucas es distinto, es otro pedo.

Ella no quiso entender, me cae; por más que le expliqué, de todos modos se encabronó conmigo, que porque siempre ando de vago, que porque siempre ando con la raza y llego muy tarde a la cantona. Y ahora tuve que comprarle estas flores, y las metí en una bolsa pa que la raza no se diera cuenta. Ya me imagino la carrilla: «Hey, qué onda con esas florecitas, mandilón, te train pendejiando, qué pues, métale unos chingazos y ya stuvo».

La clica no entiende. Mi ruca... ¿cómo te diré? Ojalá que ya no esté enojada conmigo cuando llegue a la casa.

El Johnny no se murió. Uno de los morros dice que sí, otro dice que no. Lo madrearon un poco, lo mandaron al hospital unas semanitas y ya stuvo. Entonces, ¿por qué tanto argüende?

Y pon tú que sí se lo chingaron, pon tú que al Saico y a la clica se les pasó la mano. ¿Por qué tanto pedo contra la raza, contra todos los cholos, contra todos los barrios?

La China lo despierta con palabras amorosas que han ido cambiando con el tiempo.

–Ya párate, pinche güevón. Ya es hora de ir a jalar.

La primera vez que durmieron juntos, ella lo despertó con palabras distintas:

–Levántate, mijo. Levántate porque el día comienza y apenas me alcanzan las horas que tengo para ti.

La China no sabía que se casaría con él. Pensó que era otro galán en su vida, uno de tantos en su jardín. Por eso, antes que despertara, se le quedó mirando durante largo rato. No quería que sucediera lo mismo que con otros. Nel. Éste le pasaba más: su forma de no hablar para decir las cosas, su estilo tranquilo, su manera de no sonreír cuando estaba sonriendo.

Cuando el Saico despertó, aquella primera vez, era un bato feliz.

–Pinche China, me cae que eres como una flor, «pareces amapolita cortada al amanecer».

–No mames –le dijo ella con un cariño sabrosón.

Qué curiosas son las palabras amorosas, cambian, envejecen:

–No me chingues, China, déjame dormir.

Y el Saico por lo regular llega tarde a su trabajo.

Cuando le cuentan la noticia, cuando le enseñan los periódicos, la Cristina se encierra y se pone a llorar.

–No soy chola –se le escucha decir a través de la puerta.

El invierno comienza su entrada en el Barrio. Los morros dejan la esquina y se refugian en un lote baldío. Buscan llantas viejas y forman hogueras bajo la luna. Se levanta un humo negro que se esconde en la oscuridad, empujado por el aire, rumbo a los otros barrios.

Los morros rolan una botella de tequila, se soban las manos, se acercan al fuego.

La lumbre hipnotiza. A veces no hay nada qué decirse y la lumbre es la única que habla, que recuerda. Los colores naranjas y amarillos consumen las llantas. La noche se prolonga, no parece acabarse.

Alguien sugiere que ya es hora de partir. Simón, ya es hora, dicen todos. Pero se quedan un rato más esperando que las llantas se mueran. Después el frío arrecia, no respeta, y es mejor irse a rolar: mañana es día de trabajo.

Las despedidas son breves.

El Barrio es el Barrio, socio, y el Barrio se respeta. El que no lo respeta hasta ahí llegó: si es cholo se quemó con la raza, si no es cholo lo madreamos macizo.